Aprendiendo a amar con
San Juan Pablo II

Adme: Este Papa
1/23/1979 / 1/23/2021.-
Mi 2da Hija.- YANNIA DALMAU
Visito por 1ra vez R.D.
Mayu estaba R.D su ultimo
Viaje a su Pais.
Bendicion de Dios.

APRENDIENDO A AMAR CON
SAN JUAN PABLO II

2do Viaje. - Estuvo la

Padre Agustino Torres CFR

FLia completa fte a la
Recidencia de la casa
de Bahaguer fte a
Fte. y personalmente
Fuimos Bendecidos

AUGUSTINE INSTITUTE
Greenwood Village, CO

Por un Santo.
Hoy espero que lo
disfrute.
Su Obra: Es Teologia del

CUERPO. -

Augustine Institute
6160 S. Syracuse Way, Suite 310
Greenwood Village, CO 80111
Tel: (866) 767-3155
www.augustineinstitute.org

Cover Design: Jorge Paredes

ISBN 978-1-950939-08-4

Printed in Canada

Dedicatoria

Dedico este libro a Nuestra Señora de Guadalupe, que tanto me ha ayudado a vivir en culturas que se contrastan sin perder mi identidad. Estoy agradecido por el permiso que mis superiores en la Comunidad de los Franciscanos de la Renovación me dieron para trabajar en este viñedo. A todos los jóvenes de Corazón Puro, sin quienes este libro no habría tenido su sabor particular. Y agradezco a todos los que me ayudaron en el proceso de hacer la teología de San Juan Pablo II más entendible, especialmente: Odet, Holly, Pilar, Eric, Alejandra, Santiago, Carmen y Denise.

Prólogo

San Juan Pablo II marcó la historia del siglo XX y acompañó a la Iglesia y a la humanidad a cruzar el umbral del siglo XXI. Fue el santo papa viajero que recorrió todos los continentes, tocando las vidas de personas de todas las edades, condiciones y lugares. Fue también el papa que tocó mi propia vida. Su palabra y testimonio en distintos momentos de mi camino me ayudaron a descubrir mi propia vocación y a poder responder con generosidad.

Nunca olvidaré mi primer encuentro con San Juan Pablo II en la primera Jornada Mundial de la Juventud en Roma, la Semana Santa de 1985. Allí, la invitación del santo papa me dejó inquieto: *"Jóvenes, no tengan miedo. Abran de par en par las puertas de su corazón a Cristo"*. Junto a aquella invitación, Juan Pablo II hizo también dos preguntas a los jóvenes, que despertaron en mí una búsqueda: *¿Quién es Jesús de Nazaret?* Y la segunda pregunta: *¿Quién es el ser humano?* Así, el papa apuntó hacia un camino de encuentro con Jesús y a un camino de autoconocimiento que lleva a descubrir que somos imagen y semejanza de Dios, llamados a un gran proyecto de amor, para transformarnos en la persona que Dios nos creó para ser. Aquellas palabras resonaron en mi corazón y me hicieron iniciar ese camino de búsqueda y discernimiento, para intentar descubrir la voluntad de Dios, su proyecto de amor en mi vida.

San Juan Pablo tenía sin duda el talento de inspirar en los corazones de los fieles la confianza de creer que sus palabras exigentes se podrían vivir en nuestra vida cotidiana, aunque nuestras realidades se encontraran lejos. Y este es el camino que hace el autor de este libro al hablarnos de la misma manera, invitándonos a conocernos a nosotros mismos, confiando y retándonos a alcanzar este llamado.

Fray Agustino Torres es uno de los grandes testigos hispanos de nuestros días. Cuando le conocí hace algunos años, en la preparación de un congreso para laicos hispanos, me impactó el gran conocimiento que tiene sobre la verdad del ser humano a la luz del proyecto del amor de Dios, conocimiento que descubrí le venía de su estudio de la teología de San Juan Pablo II. Sin embargo, me impactó aún más el ver que es un testigo genuino, que vive auténtica y apasionadamente los valores que predica. Fray Agustino, con sus palabras y acciones, inspira una confianza de que este mensaje exigente se puede vivir hoy en día. Así, verás que las enseñanzas que encontrarás en estas páginas no son solamente teorías escritas por un fraile sentado detrás de un escritorio, sino son, ante todo, la compilación de experiencias y sentimientos vividos. Muchos expertos han hablado sobre la Teología del Cuerpo y sobre la filosofía de cómo aprender a amar, sin embargo, nunca había conocido a una persona que lo refleje tan simple y profundamente como este Fraile de la Renovación.

Cada siglo ha tenido sus propios retos, pero debemos reconocer cuáles son aquellos a los que nos enfrentamos en nuestro tiempo actual. Ciertamente nos encontramos en una época muy bombardeada de falsas ideas sobre el sentido del amor verdadero y las relaciones humanas.

El despliegue de una cultura materialista y hedonista que solo busca su propio interés, la decadencia de los valores más básicos en la sociedad, la pérdida de la estructura familiar, la falta de identidad propia, la degradación moral en el campo de la sexualidad, son algunos de los retos que enfrentamos como sociedad. Estos desafíos nacen del falso entendimiento de lo que se nos ha enseñado como un supuesto amor. Y descubrimos que cada ser anhela amar y ser amado, revelándonos una imagen de lo sediento que está el mundo de experimentar un amor verdadero.

Las siguientes páginas pueden servir al lector para múltiples usos. El libro puede ser un instrumento para la formación de parejas, seminaristas, solteros en búsqueda de su media naranja o también una lectura recreativa para leer en la playa. Es vital, sin embargo, que lo que aprendamos aquí, no quede en la superficie, en el mero plano intelectual: el libro es un llamado a contemplar con el corazón, a compartir lo que hemos aprendido y a vivir el amor plenamente para así traer esperanza a este mundo herido con nuestro ejemplo.

Fray Agustino se inspira en la teología de San Juan Pablo II, una obra que, siendo tan rica y desconocida por muchos, es un tesoro que la humanidad entera debería conocer. Este gran papa contemporáneo supo anticipar la fuerte crisis que enfrentaríamos y nos dejó un legado de enseñanzas sobre el amor humano, la familia, la sexualidad, la vocación y sobre todo cómo experimentar el amor en plenitud. Y este libro presenta estas enseñanzas entrelazadas con historias y testimonios de gente común, como tú y yo, que nos ayudan a purificar nuestra visión de lo que significa amar a través de la entrega sincera y desinteresada a los demás.

Todos estamos llamados a una vocación y esa vocación es el "amor". La santidad es amor; éste es nuestro primer y último llamado. Y nuestro primer contacto con el amor es a través de la familia, lugar donde se debe experimentar el amor incondicional. Conscientes de que nuestra realidad hará esta meta difícil de alcanzar, yo pienso que todos -solteros, consagrados, laicos y casados- podemos aprender sobre el verdadero valor de esta pequeña Iglesia Doméstica y cómo podemos participar en el designio de Dios para formar familias santas sin miedo al amor auténtico.

A todos los que somos formadores: tenemos en nuestras manos un instrumento que nos ayudará en el acompañamiento de las familias y los jóvenes. Y a los que están en búsqueda de su vocación: este libro te ayudará en la búsqueda de tu profundo llamado, ¡adelante! Descubrirás cómo la vocación es un llamado a construir el reino de Dios. Y si estás viviendo ya una vocación específica, no te detengas ya que esta lectura te ayudará a reorientar tu mirada sobre el verdadero sentido de tu entrega.

Agradezco el espacio que se me ofreció para compartir con ustedes, los lectores, los sentimientos que me generó esta obra y aprovecho para felicitar a mi querido amigo el Padre Agustino por su excelente trabajo. ¡Qué estas páginas nos lleven a redescubrir la enseñanza principal de Jesús, la llamada al amor a Dios y al prójimo! (Mt 22, 36-40). Con Fray Agustino y con San Juan Pablo II les repito: ¡No tengan miedo de amar!

Padre Rafael Capó
Fiesta de la Asunción de la Virgen, 2019
Miami, Florida

Introducción

"Amor con amor se paga" dice uno de los refranes más conocidos de la sabiduría popular. Pero, pensándolo bien, ¿se puede realmente pagar el amor con amor? Y si es posible ¿cómo sabré si he pagado lo suficiente? De hecho, ¿sabemos lo que es el amor? ¿El amor con amor se paga? Sin embargo, los padres se lo inculcan a los niños y las abuelas a los nietos.

Sin duda que el significado de este antiguo proverbio secular sólo puede descubrirse totalmente poniéndolo en uso. Pero ¿qué sucede si no tengo un buen ejemplo de amor? ¿Podré entonces pagar el amor con amor si nunca he sido amado? Y ¿qué de los amores superficiales? Cada canción en la radio, cada *playlist* en el teléfono, cada novela en la tele y cada serie en netflix no nos dan un buen ejemplo del amor. ¿De dónde lo vamos a aprender entonces?

En este mundo, bello pero herido, muchos reciben un ejemplo de este tipo de amor a través de sus abuelos (no todas las veces, claro). Tal parece que esta generación de cabellos blancos está tomando un papel que está creciendo en importancia. Y ¿qué tal si el mundo entero necesita esa pauta? Yo diría que nosotros tenemos un abuelo polaco y que recordar su sabiduría, como familia humana, nos puede iluminar el camino en estos días confusos. Gracias a Dios por el ejemplo de San Juan Pablo II, quien no hace mucho tiempo viajaba a cada rincón de este mundo como intrépido peregrino. De acuerdo con algunos miembros de su seguridad en el Vaticano, se quedaba en la capilla durante la noche y dormía poco. Este papa se desvelaba no tan solo en la oración, sino también escribiendo. ¿Sobre qué? Sobre el amor.

En las siguientes páginas vamos a emprender un viaje. Estas palabras no son una guía para conseguir pareja o una bola de cristal que te dirá si debes ser religioso o no, pero sí te darán las herramientas necesarias para tomar las decisiones claves de tu vida. Claro, un estudio sobre cómo elegir una pareja (que es algo tan importante) merece su tiempo. Pero muchas veces esos libros solo hablan de un tipo de amor y no hacen un análisis más profundo. Lo que sigue no es un libro tipo *"self help"* que en 5 pasos te transformará la vida y las vidas de otras personas que te rodean por solo tres pagos de $19.99. El cambio que estoy proponiendo es semejante al crecimiento de un árbol—no se ve de inmediato, pero se puede notar con el paso del tiempo. No pretendo tampoco hacer una examinación exhaustiva del pensamiento de San Juan Pablo II, pero si quiero expandir nuestros horizontes desde su perspectiva. Sus consejos proféticos ahora suenan con más intensidad, como un eco en la montaña. Porque no buscamos un amor de plástico, aunque por mucho tiempo podamos entretenernos con amores desechables. ¡No! ¡Buscamos un amor verdadero, duradero y que no es un espejismo!

Pero ¿por qué escribir otro libro sobre el amor? A pesar de todas las contradicciones, las ideologías erróneas y engaños sociales, nosotros sin embargo tenemos sed de un amor auténtico. Estamos luchando una fuerte batalla y tenemos que rescatar el amor, sobretodo porque nuestras familias dependen del resultado. Como menciono más adelante en el capítulo 7:

Todos hemos experimentado el amor, lo hemos recibido, y lo hemos dado. ¿Cuál es el lugar donde experimentamos el amor por primera vez en nuestras vidas? ¿Dónde debería estar la base del amor, nuestra primera escuela? La respuesta es en la familia. Se supone que la familia es el lugar donde experimentamos amor incondicional; donde aprendemos a dar amor y crecer en amor; donde aprendemos el perdón, la aceptación de las debilidades de los demás y la nuestra; donde aprendemos a darnos a nosotros mismos y poner a los demás primero. Es la institución que Dios creó para que experimentemos el amor y, por lo tanto, comprendamos que fuimos creados para el amor.

Tal vez estás pensando, "en mi familia no aprendí eso, aprendí otras cosas". Y yo diría lo mismo. Pero nunca es tarde. Cómo quisiera que mi familia, y todas las familias aprendieran de este amor auténtico. Nuestro primer paso es aprender a amar con San Juan Pablo II.

1

¿Quién es San Juan Pablo II?

"¡Estén orgullosos del evangelio!"

San Juan Pablo II

No podemos amar lo que no conocemos y no podemos perdonar si no amamos. Tengo que confesarles algo: a mí me cuestan trabajo las largas oraciones que recitamos en el convento. ¡No le digan a mi superior! No piensen que no me gusta rezar, al contrario, la oración y la lectura diaria de los salmos en la Liturgia de las Horas ya es parte de mi ADN. Pero, durante las oraciones comunitarias de las fiestas y solemnidades de la Pascua o la Navidad, muchas veces me pregunto: y esta oración ¿de dónde viene? Me pasa también cuando estoy rezando el rosario con el pueblo y añaden una frase u oración de tal aparición, y otra de este santo, y una más que siempre decía la abuela. Por favor, no me malinterpreten, no estoy diciendo que no me gustan las oraciones que añaden, solo que siento que a veces ponemos oraciones de más, y pienso que el rosario en sí ya es suficiente. Oren por mí, porque necesito paciencia. A veces he pensado que estoy en problemas, porque voy a rezar el rosario

1

con el pueblo por el resto de mi vida. Pero no se preocupen, esto es algo del pasado, ya no es así. Comencé a aprender la historia de las oraciones y todo cambió. Aprendí cómo muchas de estas oraciones brotaron de los corazones de los oprimidos, algunas fueron escritas por mártires y otras compuestas después de años de oración como el *Te Deum* y el *Tantum Ergo*. Aprendí de dónde vinieron, su origen. Luego noté que empecé a amar más lo que conocía y ya no me parecían largas y extendidas las oraciones-- mi actitud cambió. Para aprender a amar con San Juan Pablo II, tenemos que conocer mejor nuestra guía.

Karol Wojtyla

San Juan Pablo II nació en Wadowice, Polonia con el nombre Karol Wojtyla. Esta parte del mundo está colmada de santos que en épocas pasadas enfrentaron el mal de sus días. Santos como, por ejemplo: Santa Kinga, la reina que se hizo Clarisa; San Estanislao, el obispo que corrigió a un rey inmoral que lo martirizó con sus propias manos; y, claro, Maximiliano Kolbe, el Franciscano que entregó su vida no lejos de donde Karol estaba estudiando en un seminario clandestino, entre muchos otros santos.

El padre de Juan Pablo II era soldado en el ejército austrohúngaro y su mamá una católica ferviente. Uno por uno los miembros de su familia murieron. Su hermana Olga, murió antes de que el futuro Papa de la Iglesia Católica naciera. Emilia Kaczorowska, su madre, murió en 1929 cuando Karol tenía solo 9 años. Su hermano mayor Edmund era médico y el modelo a seguir para el pequeño. Cuando Edmund estaba cuidando de un hombre pobre se contagió de la misma enfermedad y murió cuando Karol tenía 12 años.

A partir de entonces, Wojtyla creció solo con su padre hasta que comenzó sus estudios universitarios, para lo que se trasladó a Cracovia. Sin embargo, sus estudios se vieron interrumpidos en 1939 con el inicio de la Segunda Guerra Mundial y la invasión Nazi a Polonia. Muchos de sus amigos universitarios se integraron a las diferentes iniciativas de resistencia. Karol decidió resistir a través del amor. Esto no fue un gesto romántico, al contrario, fue la respuesta que él forjó y de la que aprendió durante la opresión de los Nazis y los comunistas, este tiempo fue la incubación de una entrega total a Jesucristo que el mundo entero iba necesitar.

En 1942, el joven encuentra su vocación al sacerdocio y empieza su formación en el seminario clandestino de Cracovia. Fue ordenado sacerdote en noviembre de 1946 y nombrado obispo solo 12 años después. Como obispo asistió al Concilio del Vaticano Segundo, ayudó con la composición de *Humanae Vitae* en 1968 (uno de los documentos más importantes de los últimos 50 años) y en sus tiempos libres fue autor de varios libros y poesías. Es en 1978, después del corto pontificado de Juan Pablo I, es elegido Papa de la Iglesia Católica. Después de haber sido nombrado Papa, toma el nombre de Juan Pablo II en honor a su antecesor y cambia la historia moderna.

Es importante recordar que la vida de Juan Pablo II estuvo marcada por la dificultad y por obstáculos enormes. El ambiente que se vivió durante la segunda guerra mundial es inimaginable para la mayoría de nosotros. Los polacos tuvieron que soportar crueldades terribles de parte de los invasores nazis. Muchos sacerdotes, religiosas y laicos católicos murieron mártires en esta época, mientras intentaban defender su fe, ni hablar de los incomprensibles sufrimientos de la población judía. Los nazis también buscaban terminar con la cultura polaca y es por esto que Karol decide unirse a un grupo de jóvenes estudiantes para preservar obras de teatro polacas, leer libros de autores polacos y mantenerlos a salvo. De hecho, su primer texto publicado, bajo seudónimo, es el poema *Sobre tu blanca tumba*:

> *"Sobre tu blanca tumba / madre, amor mío apagado, / una oración desde mi amor filial: / dale el reposo eterno".*[1]

En este poema, el Papa recuerda a su madre y vemos al ser humano detrás del Papa, Cardenal, Obispo, Sacerdote y Hombre.

Después de que terminó la Segunda Guerra Mundial los polacos quedaron bajo el dominio de otra potencia extranjera, esta vez de la Unión Soviética que impuso el sistema comunista. El comunismo tampoco permitía el desarrollo cultural y religioso de los polacos. Se siguió viviendo una persecución abierta en contra de la Iglesia Católica, contra intelectuales polacos y contra cualquier persona que criticara al régimen Comunista. Karol Wojtyla de manera inteligente siguió su camino pastoral como sacerdote y como obispo durante esta época.

Su Pontificado

Ahora podemos entender un poco mejor cómo es que Karol, convertido en Juan Pablo II, Pontífice de la Iglesia Católica, supo conectar con fieles de todas las razas, lenguas y culturas del mundo. Juan Pablo II había experimentado en su propia vida la persecución, el miedo y el sufrimiento por ser quién era. Comprendió la gran importancia de que el ser humano pudiera llegar a la verdad de manera libre y a su propio paso. En cada viaje y acción apostólica que hizo a lo largo de su pontificado,

---

1   Juan Manuel Burgos, "Hombre ¿quién eres? El legado intelectual de San Juan Pablo II", Almundi.org, 10 de junio del 2016.

impactó la vida de miles, pero en este libro les quiero contar cómo impactó la mía.

San Juan Pablo II tuvo un impacto mundial, pero al mismo tiempo llegaba a cada individuo, puedo decir que encontrarme con él, me cambió la vida. Allí estaba yo, un adolescente egocéntrico en las colinas del Parque Estatal de *Cherry Creek* en Denver, Colorado, para la Jornada Mundial de la Juventud de 1993. Sentía que me sofocaba, porque mi cuerpo estaba acostumbrado al clima tropical del golfo, y nunca había experimentado el calor seco y deshidratante de la atmósfera de la sierra de Colorado. Cuando uno ve varios soles en el cielo, debería pedir ayuda ¿no creen? Pensaba que era una visión o revelación ¡Tal vez! Pero lo que si estoy seguro que experimenté, fue un milagro, y no fui solo yo, sino junto a otros 800,000 jóvenes.

Un hombre vestido de blanco con un corazón completamente encendido. No lo conocí en persona, pero sentí que él tenía algo muy importante que decirme. Nunca olvidaré las palabras que escuché en la misa de clausura: "¡Estén orgullosos del evangelio!" Nunca había visto a un Papa, y tengo que reconocer que mi entendimiento de la geopolítica no era como lo es ahora. No tenía idea de lo que este hombre había superado, lo que estaba enfrentando, ni cuál era el plan para su pontificado (ni siquiera sabía lo que era un pontificado). Lo que sí sabía es que algo cambió dentro de mí porque me di cuenta de la manera en que este hombre vivió. Él estaba orgulloso del Evangelio y el amor que tenía por Cristo, de alguna manera, me lo estaba transmitiendo. No sé ni cómo me di cuenta, pero sentí que este hombre vestido de blanco me amaba a mí personalmente, que le importaba mi vida, que quería darme la respuesta que estaba buscando. ¿sabía San Juan Pablo II que me estaba dando la misión de mi vida?

Después de años de estudiar sus obras, sé que esto era precisamente lo que él esperaba. Él quería entregar a cada alma la oportunidad de amar como un ser humano íntegro y libre. Él quería que cada alma tuviera un encuentro con el Dios viviente y ver el impacto en cada rincón del mundo. Juan Pablo II sabía lo que iba suceder si nosotros abríamos las puertas a Cristo. Él sabía que esto restauraría nuestras vidas. Él sabía que este amor tenía el poder de cambiar el destino de muchas almas, países y el mundo entero. ¿Qué sentiría el hombre que restauró los corazones de tantas personas en el mundo? ¿Qué sentiría después de haber resistido tanta adversidad y a pesar de todo, responder con tanta humildad? Su familia muerta, algunos de sus amigos asesinados, su país invadido dos veces y respondió con oración, aceptando su llamada al sacerdocio y amando en uno de los momentos históricos donde el odio, el miedo y el rencor reinaban.

¡Cuando su primera Encíclica fue publicada en 1979 el mundo estaba en peligro de destruirse a sí mismo por medio de una guerra nuclear y él se atrevió a proclamar que la historia de toda la humanidad pasa por medio de Jesucristo el Redentor de todos los hombres! ¡Claro que lo hizo! Este hombre vestido de blanco nos amó, le importaban nuestras vidas y quiso darnos un camino claro para encontrar la verdadera felicidad.

El pontificado de San Juan Pablo II se distinguió de todos sus antecesores por ser el Papa viajero. Durante sus 27 años como Papa llevó a cabo 104 viajes alrededor del mundo, visitando 129 países, más que todos los otros papas combinados. Juan Pablo II acercó la figura papal a los fieles católicos y a los no creyentes del mundo entero. Todos los que tuvieron la oportunidad de verlo en persona pueden recordar cuándo fue, dónde estaban y hasta lo que sintieron en ese momento del encuentro. Fue así como muchos jóvenes hicieron un cambio en su vida y dejaron todo para seguir Jesús en la vocación a la que habían sido llamados.

El Papa viajero emprendió su primer viaje 4 meses después de iniciar su pontificado, y decidió visitar el continente americano. El Papa llegó a México, la República Dominicana y las Bahamas, y este viaje pastoral marcó los corazones de millones que pudieron verlo en persona por primera vez. Este fue un hecho histórico. No era la primera vez que un Papa visitaba el continente americano, pero sería el esquema que utilizaría en sus futuros recorridos a otros países por el resto de su pontificado. Durante sus viajes y apariciones públicas siempre sorprendió a los que ahí se encontraban con sus gestos humildes, como besar la tierra donde nunca había estado y besar a los bebés que encontraba en el camino. Estos gestos fueron recibidos por el mundo que necesitaba este bálsamo de humanidad y cercanía. El mundo entero comenzó a mirar a la Iglesia de nuevo como guía espiritual después de un principio de siglo catastrófico porque el hombre se alejó de Dios. Todos sabíamos que algo estaba sucediendo.

El impacto que tuvo el pontificado de San Juan Pablo II trascendió a la cultura posmoderna, después de haber sobrevivido a la mayor deshumanización que justificó los actos cometidos durante la Segunda Guerra Mundial y a las consecuencias del comunismo, el Papa nos dejó claros mensajes y guía para nuestras vidas. San Juan Pablo II escribió 14 encíclicas, 14 exhortaciones apostólicas, 11 constituciones apostólicas, 45 cartas apostólicas, entre otras obras. El legado de Juan Pablo II tiene y tendrá un impacto en la Iglesia Católica y el mundo entero.

La predicación y acciones de San Juan Pablo II se centraron siempre en la persona, recordándonos el valor infinito que tiene cada ser humano. A través de las experiencias vividas en su juventud se dio cuenta de las consecuencias terribles de olvidar esta importante verdad. En sus escritos, el Papa Juan

Pablo II se concentra siempre en diferentes temas que rodean la vida de las personas como: el trabajo, la justicia social, la fe y la razón. En todos estos escritos el Papa se enfoca en la dignidad del sujeto al que se está refiriendo. Juan Pablo II durante su pontificado enfrentó momentos históricos en los que siempre defendió la dignidad de todos los seres humanos.

En su mensaje por la celebración de la XXXII Jornada Mundial de la Paz dejó muy claro *"La dignidad de la persona humana es un valor trascendente, reconocido siempre como tal por cuantos buscan sinceramente la verdad. En realidad, la historia entera de la humanidad se debe interpretar a la luz de esta convicción. Toda persona, creada a imagen y semejanza de Dios (cf. Gn 1, 26-28), y por tanto radicalmente orientada a su Creador, está en relación constante con los que tienen su misma dignidad. Por eso, allí donde los derechos y deberes se corresponden y refuerzan mutuamente, la promoción del bien del individuo se armoniza con el servicio al bien común".*[2]

A San Juan Pablo II se le conoce como el mensajero de la paz, siempre donde quiera que visitó abogó por la paz mundial. Al haber vivido en carne propia los estragos de la guerra, el Papa no tenía reparo en ser directo con los líderes mundiales e incluso dictadores sobre la importancia de la paz y el respeto a los derechos humanos de todos los habitantes del mundo. Su ministerio, a lo largo y ancho del mundo, parecía incansable y sin duda pudo ver los signos claros de una 'cultura de la muerte' en el pensamiento y la forma de vida de la sociedad. Signos que vemos ahora mucho más desarrollados.

---

2   San Juan Pablo II, Mensaje para la celebración de la XXXII Jornada Mundial de la Paz, 1 de enero de 1999.

La cultura de hoy tiene una gran necesidad. Vivimos en un mundo liderado por un 'yo y yo mismo', donde cada quien tiene su propia moralidad y verdad. Este concepto erróneo del propósito del ser humano está movido por la tecnología que suele encerrar a la persona y crear una burbuja que ensordece y hace difícil un encuentro con su verdadero propósito. Parece que este mundo todavía tiene un cierto sentido de la profundidad interior de lo que significa ser humano, pero casi nunca va más allá de una búsqueda en Google para encontrar la respuesta. Y las respuestas del mundo lo han llevado un camino de vida hedonista y nihilista que llamamos postmodernismo. San Juan Pablo II insiste que la respuesta a esta pregunta fundamental solo puede ser encontrada en Jesucristo. Desafortunadamente, *"por primera vez desde el nacimiento de Cristo hace 2000 años, es como si Él no tuviera ya cabida en un mundo cada vez más secularizado"*.[3] Sin embargo, el responder a Cristo nos ayuda a solucionar nuestras propias preguntas y sanar las heridas del pecado y la división, dice el ya canonizado pontífice.

San Juan Pablo II y nuestros tiempos

Nuestra civilización ha dejado de tener a Cristo en el centro, no somos completamente ateos, pero si agnósticos, creemos que hay que pensar y actuar como si Dios no existiera. Nuestro mundo busca que vivamos nuestra fe en secreto sin demostraciones externas. Esta forma de ver la vida nos ha llevado a no reconocer el bien y el mal. Los medios de comunicación, el arte, la literatura, no reflejan ya la belleza del bien, sino que, por el contrario, causan mucha confusión que

---

3 San Juan Pablo II, Discurso al Maestro General saliente de la Orden de Dominicos con motivo del capítulo general de la Orden, 28 de enero del 2001.

desmoraliza a las generaciones. Pero esto no quiere decir que no tenemos esperanza. Dios sigue actuando y lo vemos en los santos de nuestros tiempos. La santidad es el remedio.

San Juan Pablo II fue el Papa que más canonizaciones llevó a cabo en la historia. Nos dejó ejemplos de santos de varias nacionalidades y diferentes profesiones, tanto religiosos como laicos. Es a través de la vida de los santos que nos podemos inspirar para vivir las virtudes cristianas en su máxima expresión. Juan Pablo II canonizó a San Juan Diego en la Basílica de Guadalupe y nos dejó un nuevo santo indígena de quién podemos aprender, sobre todo, la virtud de la humildad. En su homilía de la canonización de San Juan Diego, San Juan Pablo II dijo: "¿Cómo era Juan Diego? ¿por qué Dios se fijó en él? El libro del Eclesiástico, como hemos escuchado, nos enseña que sólo Dios *es poderoso y sólo los humildes le dan gloria'* (Eclo 3,20). También las palabras de San Pablo proclamadas en esta celebración iluminan este modo divino de actuar la salvación: *'Dios ha elegido a los insignificantes y despreciados del mundo; de manera que nadie pueda presumir delante de Dios'* (1 Co 1, 28.29)".[4]

San Juan Pablo II desde el inicio de su pontificado nos animó a ser sinceros con nosotros mismos y vivir nuestra fe al máximo. En su homilía de inicio de su pontificado nos dijo: *"¡Hermanos y hermanas! ¡No tengáis miedo de acoger a Cristo y de aceptar su potestad! ¡Ayudad al Papa y a todos los que quieren servir a Cristo y, con la potestad de Cristo, servir al hombre y a la humanidad entera! ¡No temáis! ¡Abrid, más todavía, abrid de par en par las puertas a Cristo! Abrid a su potestad salvadora los confines de los Estados, los sistemas económicos y los políticos, los extensos campos de la cultura, de la civilización y del desarrollo.*

---

4   San Juan Pablo II, Homilía en la misa de Canonización de Juan Diego Cuauhtlatotzin, 31 de Julio del 2002.

¡No tengáis miedo! Cristo conoce «lo que hay dentro del hombre».
¡Sólo Él lo conoce! Con frecuencia el hombre actual no sabe lo que
lleva dentro, en lo profundo de su ser, de su corazón. Muchas veces
se siente inseguro sobre el sentido de su vida en este mundo. Se
siente invadido por la duda que se transforma en desesperación.
Permitid, pues, —os lo ruego, os lo imploro con humildad y con
confianza— permitid que Cristo hable al hombre. ¡Sólo Él tiene
palabras de vida, sí, de vida eterna!" [5]

¡Lo único que queda por decir es AMÉN! Es decir, ¿sí o sí?
¿Cómo se puede negar que lo que él dice es verdad, especialmente
viendo su vida? El desarrollo y la modernización sin tener como
centro al hombre están directamente ligados a las guerras y a la
deshumanización. La cultura de hoy está unida a estos eventos
históricos. Los productos de estas ideologías, la destrucción que
han causado y la reacción de la humanidad a estos hechos; *"éstas*
socavan los fundamentos mismos de la moral humana, implicando
a la familia y propagando la permisividad moral: los divorcios, el
amor libre, el aborto, la anticoncepción, los atentados a la vida en
su fase inicial y terminal, así como su manipulación". [6] Hay estragos
que continúan y ahora nos encontramos en una tierra hermosa
pero rota. Sin embargo, Dios en el primer capítulo del Génesis
miró al hombre, varón y mujer, y vio Dios todo lo que había
creado y todo era muy bueno. (Gen 1,31)

El mundo de hoy parece no tener una guía moral, se borran
las líneas entre el bien y el mal. Aunque vivimos una época
en la que tenemos alcance a más conocimiento que nunca, el
pensamiento crítico para procesar tanta información se está

---

5   San Juan Pablo II, Homilía en el comienzo de su pontificado, 22 de octubre de 1978.
6   San Juan Pablo II, Memoria e identidad (Buenos Aires: Grupo Editorial Planeta, 2005), 66.

perdiendo. Vivimos paradojas como el tener al alcance de nuestra mano prácticamente cualquier producto del mercado, pero no sabemos relacionarnos personalmente. Hay una gran diferencia entre la generación que creció sin tanta tecnología alrededor y la nueva generación que parece que todo lo que ve y experimenta es a través de una pantalla.

San Juan Pablo II dice que hay esperanza, porque *"el pecado original no alteró totalmente esta bondad primera"*[7] que se encuentra en el hombre. El método que usaba este sacerdote polaco convertido en pontífice era abordar las preguntas de los hombres desde su experiencia concreta. Se puede decir que él contesta la pregunta, *¿por qué ser moral? Es decir, ¿por qué hacer lo que debo hacer cuando puedo hacer lo que quiero?* Para San Juan Pablo II la respuesta empieza con Jesucristo, pero con un énfasis especial en la solidaridad de Cristo con todos los hombres.

¿Qué significa ser humano según Cristo? es la pregunta que respondió durante su pontificado, y la respondió porque es la pregunta más profunda que debe hacerse cada alma. Creo que San Juan Pablo II quiso hacernos estas preguntas. Su vida, sus obras y su servicio nos dieron el material necesario para responder tomando una decisión.

En resumen

Hoy puedo decirles con gusto que ya no me cuesta trabajo rezar todas las oraciones que se agregan en los días festivos al canon de jaculatorias que rezan los frailes franciscanos de mi comunidad. Ahora veo su importancia. Espero que el Señor me perdone por no haber visto su valor y significado en el

---

7   San Juan Pablo II, Discurso a los miembros de la Sociedad Europea de Física, 30 de marzo de 1979.

pasado y dejarme llevar por mi debilidad al ver la lista enorme de oraciones extras que se añaden para orar. Honestamente, por un rato yo me encontraba estancado en mi frustración. Muchas veces nos vemos paralizados por no mirar más allá de nuestro sentir en una situación o con una persona. No podemos perdonar si no amamos y no podemos amar lo que no conocemos ¿cómo puede un hijo perdonar a su padre por los golpes de su crianza?, ¿cómo puede una niña perdonar a sus padres que la dejaron a cargo de su abuela para ir a trabajar en "El Norte"?, y ¿cómo puede un inmigrante ver a Cristo en la situación que está viviendo si no aprende de su historia? ¿cómo puedo evangelizar a un pueblo si no entiendo su pasado, lo que ha vivido? ¿cómo puedo ayudar a la reconciliación de una parroquia dividida por malentendidos idiomáticos y cuestiones culturales? Conocer a San Juan Pablo II es la clave para aprender no solo lo que dijo sobre el amor, sino también por qué lo dijo. Sería bueno que aprendieras más de tu propia historia, para que puedas entender más objetivamente la razones detrás de tus elecciones y tus acciones. Conocer tu propia historia te ayudará a aceptarla y a vivir la realidad de ser perdonado, para poder amar como San Juan Pablo II.

2

El amor brilla en la oscuridad

"Se puede afirmar que, en cierto sentido, el amor es el ADN de los hijos de Dios"

San Juan Pablo II

Un día empecé a contar todas las veces que escuché la palabra 'amor' en la radio. Fueron muchas veces cada minuto. Tal vez fue porque era una emisora de música romántica. Noté que, aunque estaban usando la misma palabra, cada una tenía un significado distinto. ¿Qué es el amor? Tenemos que definir de nuevo esta palabra sencilla pero muy malentendida. Puedo decir que amo el chocolate, yo amo a mi equipo de fútbol y yo amo a Dios. Hay personas que son adictas al enamoramiento y otras que se han declarado agnósticas en el amor. Uno está tratando de atrapar el viento y el otro dice "realmente no sé si existe el amor, yo no lo conozco". ¡Cuánto necesitamos conocer el amor verdadero! Un amor que esté dispuesto, incluso, a sufrir por su amado o hasta entregar la vida.

Fátima

Transcurría el año 1917 y el mundo estaba en guerra. La Primera Guerra Mundial estaba en pleno apogeo. El aislamiento estaba penetrando el núcleo de la humanidad porque el fruto oscuro del periodo denominado la Ilustración estaba siendo la destrucción de la vida humana, de una manera nunca antes vista. Al mismo tiempo, en una aldea remota en Portugal, miles se reunían para ser testigos de un milagro que había sido reportado. Creyentes se codeaban con ateos completamente empapados por un aguacero sombrío. Casi 70,000 personas bajo la lluvia mostraban tener hambre de algo, y la espera fue larga. Algunas fotos de ese día muestran un mar de paraguas y algunos peregrinos parados con barro hasta el tobillo; algo iba a pasar. La expectativa se juntaba con la humedad del aire y el corazón de los presentes. Nuestra Santísima Madre se había estado apareciendo a tres niños pastores el día 13 de cada mes y había prometido un milagro en su última aparición. ¡Ese era el día anunciado! Las noticias acerca de este "milagro" profetizado se habían extendido por todo el país y, por esa razón, multitudes acudían a la pequeña aldea de Fátima. Caminaron por kilómetros a través del constante aguacero, algunos impulsados por una profunda fe, otros por curiosidad, y unos más porque querían burlarse de la fe de estas personas sencillas que se aferraban a la esperanza.

Los tres pastorcitos, Lucía, Francisco y Jacinta se abrieron paso entre la multitud hasta el lugar donde aparecería la Virgen. Justo en el momento en que habían anunciado, apareció la Santísima Virgen, Nuestra Señora del Rosario, y les dijo que la guerra terminaría pronto, pero que siguieran orando para que no sucediera algo peor. Luego, ante el asombro de las miles de personas reunidas en los campos, se produjo el milagro prometido por Nuestra Señora para que todos lo vieran. Este evento fue denominado el milagro del sol. El astro que nos da luz a diario "bailaba" en el cielo y en un momento aterrador comenzó a acercarse a todos los que estaban allí. Todos los presentes pudieron ver este fenómeno celestial, creyentes y no creyentes por igual. De hecho, la mayoría de la gente pensó que era el fin del mundo y muchas personas se tiraron al suelo, invocando a Dios y confesando sus pecados en voz alta. Entonces, de pronto, no hubo más que un sol normal brillando en lo alto. Todos se dieron cuenta de que, aunque momentos antes estaban mojados hasta el hueso, ahora el suelo estaba seco y su ropa también se habían secado completamente.

El Padre Juan de Marchi, un sacerdote e investigador católico italiano, dijo que los ingenieros que habían estudiado el suceso sostenían que se habría requerido una cantidad increíble de energía para evaporar completamente todos los charcos que se habían acumulado. Nadie podía negarlo: el milagro prometido por Nuestra Señora se había convertido en una realidad. ¡Incluso el periódico secular-comunista publicó un artículo al respecto al día siguiente! Este evento ayudó para que el mundo se dedicara más seriamente a la oración, pidiendo para que varias ideologías no destruyeran a la humanidad. El amor de Dios se abrió paso en uno de los momentos más oscuros de la historia humana. El Señor habló a través del sol, pero a través de su madre estaba hablando a cada corazón. A través de ella, dio un mensaje de amor; acercándonos al amor misericordioso de Dios que es lo único que nos puede salvar de la autodestrucción. Este mensaje es relevante hoy como lo fue hace más de cien años.

La Virgen entregó a los videntes tres secretos: el primero una visión, breve, del infierno; el segundo una profecía que terminaría la guerra y pronosticó otra guerra más cruel, y el tercero nunca fue revelado hasta décadas después; 64 años más tarde, el mensaje de Nuestra Señora de Fátima se volvería más relevante para el Papa Juan Pablo II de lo que él podría imaginar.

La profecía de Fátima hecha realidad

El 13 de mayo de 1981 parecía un miércoles como cualquier otro en el Vaticano. El Papa Juan Pablo II participaba en su audiencia habitual en la Plaza de San Pedro, saludaba a la multitud y daba una breve enseñanza. Nadie imaginaba que un joven turco, Ali Agça, había escapado recientemente de la prisión con planes de asesinar al Papa. Mientras Juan Pablo II pasaba entre la multitud en el papamóvil, saludando y bendiciendo a los fieles, Agça disparó al Pontífice hiriéndolo dos veces. Inmediatamente llevaron al Papa al hospital más cercano, ya que estaba perdiendo grandes cantidades de sangre. Durante una cirugía de emergencia, los médicos notaron que la bala que hirió a Juan Pablo II en el abdomen, había pasado cerca de la arteria aorta por tan solo milímetros, conservando así su vida.

Cuando San Juan Pablo II despertó de su cirugía, comenzó a reflexionar sobre esta experiencia. Se dio cuenta que este atentado contra su vida había ocurrido el 13 de mayo, la fiesta de Nuestra Señora de Fátima; exactamente sesenta y cuatro años después de que ella apareciera por primera vez a los tres niños. *"Después de recuperar la conciencia ... mis pensamientos se dirigieron a [Fátima] y quise expresar ... mi gratitud a nuestra Madre Celestial por haber salvado mi vida".*[1] Él estaba seguro de que, *"Una mano disparó. Otra guio la bala".*[2]

Convencido de que su vida había sido salvada por Nuestra Señora, pasó su pontificado extendiendo celosamente la

---

1   San Juan Pablo II, Discurso en la Capilla del Apariciones, Fátima, 13 de mayo de 1982.
2   Stanislaw Dziwisz, *A Life with Karol* (New York: Doubleday, 2008), 137.

devoción a la Madre de Dios, especialmente a Nuestra Señora de Fátima. Ella le había dicho al mundo en Fátima que debía volver a Dios a través de la oración y la penitencia para ser salvado de la autodestrucción. Años después se reveló que el famoso tercer secreto de Fátima hablaba de un hombre vestido de blanco que era asesinado por soldados, pero no sucedió exactamente como en la visión. El papa sobrevivió porque estaba completamente entregado (Totus Tuus) a Dios y a la Virgen.

Este es el mensaje que más tarde predicaría Juan Pablo II para terminar con los regímenes comunistas y devolver los corazones de los hombres a nuestro Padre amoroso. Incluso se reunió con su agresor en 1983 y lo perdonó en persona, él sabía que elegir el amor, incluso frente al mal, era la única respuesta verdadera y adecuada. Reavivó en el mundo el verdadero poder redentor del amor. Fue este mensaje de amor que me despertó, que transformó mi vida y que me llevaría por sendas inesperadas.

Mi encuentro con San Juan Pablo II

Cuando tenía pocos años de ser fraile, fui asignado a Honduras, y una de mis tareas fue llevar a un grupo de jóvenes a la Jornada Mundial de la Juventud en Toronto, Canadá en el 2002. Fue una alegría ver a jóvenes de los lugares más pobres del hemisferio observar por primera vez una súper autopista, rascacielos y tener una experiencia en la Iglesia Católica como no la habían experimentado antes. Cada vez que tenemos la oportunidad de reunirnos, no podemos evitar recordar la vigilia antes de la misa de clausura. Comenzó a llover alrededor de las 4 de la mañana y poco después se convirtió en tormenta. No voy a mentir, estaba un poco preocupado de que los rayos y el fuerte viento pudieran herir a alguna de las 800,000 personas que asistieron. La tormenta continuó hasta la llegada del Papa Juan

Pablo II. ¡Recuerdo haber cruzado partes donde me hundía en el barro (no pude evitar acordarme de Fátima)! La lluvia estaba golpeando fuerte, pero cuando el Papa Juan Pablo II llegó al escenario, incluso durante las canciones de entrada, se inclinó hacia un micrófono y declaró: *"¡Corraggio!"* (¡Ánimo!). Al instante mi corazón se llenó de aliento y fuerza. Sabía que este hombre de Dios iba a celebrar la misa sin importar nada. Luego, todos comenzamos a notar algo durante las lecturas: la lluvia había cesado. ¡Durante la proclamación del Evangelio, el sol volvió a brillar! Las últimas palabras de su homilía siempre han permanecido conmigo: San Juan Pablo II dijo: *"Nosotros no somos la suma de nuestras debilidades y nuestros fracasos; al contrario, somos la suma del amor del Padre a nosotros y de nuestra capacidad real de llegar a ser imagen de su Hijo"*.[3] ¡Nuestros corazones estaban llenos de amor y esperanza! Cuando miramos a nuestro alrededor, todo estaba absolutamente seco.

El mundo podría sobrevivir sin el sol, pero no podría sobrevivir sin amor.

Piensa en todo lo que hace el sol para traer vida a nuestro mundo ¡piensa en lo maravillosa que es la vida! Sí, la vida es maravillosa; pero ¿qué significa eso? ¿Te has hecho esta pregunta? La Iglesia abordó esta pregunta hace varios años. Hubo un concilio en la década de 1960 llamado el Concilio Vaticano Segundo, donde la Iglesia Católica reunió a todos los obispos del mundo para discutir cómo proclamar el evangelio a los hombres y mujeres de la sociedad moderna. En uno de los documentos titulados *Gaudium et Spes* (Gozos y Esperanzas), los padres conciliares dijeron que *"el hombre (es la) única criatura terrestre a la que Dios ha amado*

---

3   San Juan Pablo II, Homilía del Santo Padre Juan Pablo II, Domingo 28 de julio del 2002.

por sí mismo".[4] ¿Qué significa esto? Significa que toda la vida en el mundo, todas las plantas, animales e insectos, todos están vivos, pero todos fueron creados para ser utilizados y disfrutados por hombres y mujeres. Dios nos ha creado a los seres humanos para una relación eterna de amor. Somos los únicos miembros de la creación con capacidad de autorreflexión. No escuchas a un loro preguntar '¿por qué existo?' Simplemente repite lo que ha escuchado. No verás a un perro que se detenga y se maraville ante una hermosa puesta de sol, o una planta que sea sorprendida por la belleza y la bondad de otro miembro de su especie. El hombre y la mujer fueron hechos para algo más.

¿Qué sería el hombre sin amor? Como dijo San Juan Pablo II en su primera encíclica *Redemptor Hominis*, *"El hombre no puede vivir sin amor. El permanece para sí mismo un ser incomprensible, su vida está privada de sentido si no se le revela el amor, si no se encuentra con el amor, si no lo experimenta y lo hace propio, si no participa de él vivamente"*.[5] Antes de continuar debemos recordar que el amor viene de Dios como nos indica San Juan en el evangelio. Y nosotros experimentamos este amor como un acto de voluntad en el que uno busca el bienestar supremo de la otra persona por encima de gustos o emociones. El amor es buscar que la otra persona viva con la dignidad de hijo o hija que Dios le otorga; amando como Dios nos ama.

Reflexionemos sobre las siguientes preguntas por un segundo: ¿qué sería la vida sin amor? ¿qué pasaría con la música? ¿sobre qué cantaríamos? ¿cuáles serían las tramas en las películas? ¿no habría intereses amorosos, actos de sacrificio, nada por qué luchar? Las mujeres tendrían que encontrar algo más de qué

---

4 *Gaudium et Spes,* 24.
5 San Juan Pablo II, *Redemptor Hominis,* 10.

hablar y los hombres se preguntarían para qué sirven los bares. ¡Estoy bromeando! Pero sin duda que la realidad sería mucho, pero mucho más oscura.

Juan Pablo II experimentó el mundo sin amor. Creció a pocos kilómetros de distancia de dos de las "fábricas de asesinatos" más notorias que el mundo haya visto, Auschwitz y Birkenau. Más de un millón de personas fueron brutalmente asesinadas en estos campos de concentración entre 1940 y 1945. Estos lugares fueron construidos para destruir vidas humanas y para San Juan Pablo II, estos lugares representaban un mundo construido sin amor: cruel y frío. Sin embargo, incluso en estos lugares de oscuridad y muerte, la luz del amor se abrió paso como nos muestra el testimonio de algunos mártires.

Testigos

Hemos oído hablar sobre San Maximiliano Kolbe. Raymund Kolbe nació en Polonia en 1894. Se unió a los Frailes Franciscanos Conventuales, tomando el nombre de Maximiliano. Después de ser ordenado sacerdote, comenzó a formar un grupo para difundir la devoción a Nuestra Señora que más tarde se haría famoso. Realizó un extenso trabajo misionero en Japón y fundó el mayor monasterio franciscano en el mundo. Se opuso firmemente a las fuerzas nazis, e incluso resguardó a más de dos mil judíos en su monasterio. Debido a esta oposición, fue arrestado por los nazis en 1941 y llevado al campo de concentración de Auschwitz. Su nombre fue cambiado nuevamente, esta vez a "#16670".

Durante su tiempo en Auschwitz, un prisionero escapó y, en castigo, diez prisioneros fueron elegidos al azar para morir por inanición. Un sargento polaco estaba entre los seleccionados, y comenzó a gritar: *"¡por favor, no, soy un padre! ¿qué pasará con mi familia?"* Hubo una agitación en medio del grupo de prisioneros, todos alineados con sus uniformes de trapo. El Padre Maximiliano se acercó y simplemente dijo a los guardias que él era un sacerdote católico de Polonia, y que tomaría el lugar de este hombre en el búnker para morir de hambre. Los guardias estuvieron de acuerdo y el Padre Maximiliano fue llevado con los otros nueve prisioneros para ser encerrados en una pequeña celda, esperando su muerte. En medio de las condiciones más terribles, dirigió a los que se encontraban en el búnker con canciones y oraciones, y uno por uno les dio las últimas bendiciones, hasta que fue el último que quedó. Uno de los presos asignados a sacar cadáveres del 'Búnker del Hambre' relató que las personas condenadas a esa muerte infame sufrían terriblemente.

Pero en esa ocasión, con el Padre Maxililiano, se escuchaba el eco de las oraciones y los cánticos. En cada inspección, cuando casi todos los demás estaban tendidos en el suelo, se veía al Padre Kolbe arrodillado o parado en el centro mientras miraba alegremente a los soldados nazis. Finalmente, los nazis le inyectaron ácido carbólico para matarlo, y es por esa razón que San Maximiliano Kolbe es el patrón de los adictos a las drogas. Murió en la vigilia de la Fiesta de la Asunción de la Santísima Virgen María, y en el día de su fiesta, sus restos fueron incinerados y ascendieron a los cielos en una nube de humo y gloria.

También está la historia de una mujer llamada Stanislawa Leszczyńska. Ella era una partera que recibió a más de tres mil bebés en Auschwitz y se negó a asesinarlos a pesar de que en varias ocasiones le ordenaron hacerlo. La golpeaban repetidamente por no poner a los bebés recién nacidos en un cubo de agua después del nacimiento, pero ella se negó y trató de cuidar de ellos y de las madres. ¡Fue una maravilla que ella no haya sido asesinada! Muchos de los bebés lamentablemente murieron debido a las horribles condiciones. Sin embargo, Stanislawa intentaba bautizarlos y darles gran atención. Ella continuó siendo la partera del campo de concentración de Auschwitz hasta que fue liberada en 1945. Ella y todos sus hijos sobrevivieron a los campamentos, y continuó trabajando como partera en Polonia hasta el día su muerte en 1974. Su causa de canonización ya está en marcha.

El joven Karol Wojtyla (quien más tarde sería Juan Pablo II) conocía bien estas historias, porque sucedieron a su alrededor. Estaban formando su entendimiento del amor, de Dios, de la persona humana. Daban respuestas a sus preguntas más profundas y anhelos sobre el origen y el destino de la humanidad. Vio que el amor se abre paso incluso en los tiempos más oscuros. Esto nos humaniza incluso en las circunstancias más extremas. Este es el tipo de amor que un joven que algún día se convertiría en Papa nos mostraría, porque vino de un tiempo oscuro que lo desafió a amar como estos santos, reconocidos y desconocidos. En medio del mal, el odio y la oscuridad, Karol Wojtyla estaba aprendiendo poco a poco que el amor es una elección; que uno puede optar por responder al odio con odio, a la violencia con violencia, a la muerte con la muerte; o por el contrario, por responder al odio con misericordia, a la violencia con el perdón y a la muerte con amor. Lejos de ser una forma de sometimiento o aceptación del mal, este amor alcanza la cima del valor y revela las profundidades de la dignidad y la libertad del hombre: todo se le puede quitar a un hombre, menos su elección de amar. Este amor es una respuesta directa al mal diciendo: *incluso si me odias, aunque me mates, seguiré eligiendo amar,* y por lo tanto es victorioso. Cuanto más es atacado por la maldad y la oscuridad, más brilla aún. San Juan Pablo II aprendió esto no solo de los valientes hombres y mujeres que estaban dando sus vidas en amor a su alrededor; lo aprendió primero en su expresión más resplandeciente, a través de Cristo mismo, quien respondió al mal, al odio y a la muerte con amor, perdón y resurrección. Este amor, de hecho, nos ayuda a convertirnos en quien debemos ser.

A San Juan Pablo II le encantaba citar el mencionado documento del Concilio Vaticano II, *Gaudium et Spes*: *"Cristo (...) manifiesta plenamente el hombre al propio hombre y le descubre la sublimidad de su vocación"* .[6] Esto significa que Cristo nos muestra a todos y cada uno de los seres humanos quién somos en lo más profundo de nuestro ser; nos revela nuestro propósito, nuestro destino, nuestro camino hacia la felicidad y realización; nuestra misión en este mundo. ¡La Iglesia nos está diciendo que, si queremos respuestas a los anhelos y preguntas más profundas de nuestros corazones, no necesitamos buscar más que a Jesucristo mismo! ¿Qué nos revela Cristo? que somos creados por un Padre amoroso y misericordioso que siempre está con nosotros guiando cada paso de nuestras vidas; que somos infinitamente conocidos y amados; que debemos amar como Dios nos ama; que no fuimos creados para este mundo, sino para el reino eterno de nuestro Padre.

Entonces, ¿cuál es el fin último de nuestra existencia? Estamos destinados a ser otros "cristos". Estamos destinados a compartir la vida de Jesús y, por lo tanto, a ser su presencia de amor aquí en este mundo. Debemos entregarnos cada vez más a Él, para que Él pueda vivir su vida a través de nosotros, incluso en estos tiempos modernos. Esto es lo que hizo San Juan Pablo II. Entregarse al Señor cada día en amor desinteresado, es lo que le mereció el título de "santo". Y no necesitamos nada menos que santos para transformar nuestro mundo en lo que San Juan Pablo II llamó una "civilización del amor".

¿Cómo puede esto ayudarnos hoy en un mundo que es muy diferente al mundo en el que creció San Juan Pablo II?, que

---

6   *Gaudium et Spes*, 22.

todavía necesita respuestas a las preguntas más básicas. ¿Cómo nos convertimos en quienes debemos ser? Puede que no estemos rodeados por campos de concentración y regímenes comunistas, pero nos enfrentamos a nuestros propios dilemas en el mundo moderno: la creciente secularización, la ruptura de la familia y una cultura cada vez más consumista e individualista que *"se clausura en los propios intereses, [que] ya no hay espacio para los demás, ya no entran los pobres, ya no se escucha la voz de Dios, ya no se goza la dulce alegría de su amor, ya no palpita el entusiasmo por hacer el bien".*[7] Buscamos encontrar alegría y significado en nuestras vidas y, sin embargo, *"nuestra 'sociedad tecnológica ha logrado multiplicar las ocasiones de placer, pero encuentra muy difícil engendrar la alegría"*[8] ¿Todavía pueden aplicar a nuestras vidas los ejemplos que inspiraron la vida de San Juan Pablo II?

El amor es la respuesta

Cuando San Juan Pablo II proclamó en Canadá que *"no somos la suma de nuestras debilidades y nuestros fracasos"*[9], creo que se refería profundamente al hecho de que la tragedia tiende a hostigar, pero solamente el amor puede responder. Sí, el amor sigue siendo la respuesta. En los tiempos de constante cambio en los que vivimos, con tanta incertidumbre, puede ser fácil dejar que el miedo se apodere y la duda crezca. Pero el amor sigue siendo la respuesta. Siempre ha sido la respuesta y siempre será la respuesta, porque Dios es amor y Dios no cambia. ¡En estos tiempos tumultuosos, el amor debe ser nuestra ancla, nuestra roca, nuestra bandera y nuestra canción! Abandonar la esperanza

---

7   Papa Francisco, *Evangelii Gaudium*, 2.
8   Ibíd, 7.
9   San Juan Pablo II, Homilía del Santo Padre Juan Pablo II, 28 de julio del 2002.

sería renunciar a nuestra humanidad, conformarnos con algo menos que nuestro gran llamado. Ya hemos visto lo que le sucedió al mundo cuando buscó respuestas fuera del amor. Tal vez lo hemos visto en nuestras propias vidas, en nuestras propias familias. Renunciar a los altos ideales a los que Cristo nos llama no es la respuesta. Más bien, debemos elevarnos con valor, sabiendo que es por la fuerza de Cristo que conquistaremos. ¡San Juan Pablo II lo sabía! Recorrió el mundo con audacia predicando esta verdad. Proclamó con sus palabras y con su vida que el amor es la respuesta; que el amor será victorioso; que ese amor basta para el hombre. Esta fue la misión de su vida; gritar este mensaje desde los tejados, incluso frente a gran oposición.

Uno de estos gritos de amor sucedió en 1983 cuando Juan Pablo II visitó Nicaragua. En ese momento, el país estaba dividido por las tensiones entre el gobierno en turno y las guerrillas que se organizaban en su contra. A la misma vez, había ciertos poderes extranjeros que influenciaban para formar parte de este conflicto global concretamente manifestado en la tierra de los "Pinoleros". La Iglesia estaba luchando por la justicia y algunos miembros del sacerdocio se encontraban en ambos lados de este conflicto, respaldando su posición con diferentes interpretaciones teológicas. El Papa sabía de la situación volátil, donde incluso la división había entrado en la Iglesia misma. Una "iglesia popular" que estaba aliada con las opiniones del gobierno estaba creciendo en número e influencia. Lejos de disuadirlo, estas divisiones convencieron al Papa que su rebaño en Nicaragua lo necesitaba, y que necesitaban que se les recordara la importancia de volver al camino del amor. Con gran coraje y valentía, el Papa habló de la unidad en la Iglesia en presencia de cientos de miles de personas reunidas en una plaza donde se reunían para hacer manifestaciones políticas. George Weigel, en su biografía de Juan Pablo II llamada "Witness to Hope", describe este evento histórico en el cual el Papa fue interrumpido directamente durante su homilía por miembros de los grupos populares que levantaban el puño izquierdo exclamando *"¡Poder popular!"*. El Papa pacientemente seguía con su homilía, hasta que no pudo más y exclamó: "¡Silencio!" San Juan Pablo II sabía que era necesario intervenir para traer cierta paz en ese momento. El Papa sabía que vale la pena luchar por la verdad del amor, y participó en esa batalla con todo su ser, sin importar el costo.

El amor en nuestra vida

Cada uno de nosotros en nuestra propia vida, todos los días, tenemos ejemplos concretos en los que podemos elegir amar. Podemos aprender de San Juan Pablo II para elegir el amor, para permitir que se abra el amor, incluso cuando duele. Juan Pablo II era famoso por amar a quienes lo rodeaban, sin importar quiénes fueran. Quienes lo conocieron, aunque solo fuera por un breve momento, siempre exclamaban cómo, cuando los miraba, se sentían totalmente comprendidos y amados, como si fueran los únicos en la habitación. Cuando conocía a una persona, le prestaba toda su atención y la trataba con todo el respeto y el honor que él sabía que tenía por la dignidad de ser Hijos de Dios.

¿A quién ha puesto Dios en tu vida? ¿a quién estás llamado a amar? ¿cómo puedes mostrar a los que te rodean su gran dignidad? Tal vez los de tu familia necesitan amor, o los que están en el trabajo, en la escuela o en tu vecindario. Tal vez estés llamado a ir a los pobres y mostrarles el amor de Cristo. No decir palabras hirientes; pasar tiempo con alguien en necesidad; elogiar lo bueno que hay en los otros: todas estas son formas en que podemos elegir el amor en nuestra vida diaria. Puede que no parezca algo emocionante o extraordinario, pero es en estas elecciones ordinarias que también podemos ganar el título de "santo" frente a nuestro propio nombre. Debido al amor de Cristo derramado en nosotros, todos tenemos una gran capacidad para dejar que el amor se abra en nuestro mundo.

Nuestros corazones no serán saciados por nada menos. A San Juan Pablo II le gustaba anunciar al mundo, especialmente a los jóvenes, que solo el amor trae plenitud. A los jóvenes en Roma en el 2000, proclamó:

> *"En realidad, es a Jesús a quien buscáis cuando soñáis en la felicidad; es Él quien os espera cuando no os satisface nada de lo que encontráis; es Él la belleza que tanto os atrae; es Él quien os provoca con esa sed de radicalidad que no os permite dejaros llevar del conformismo; es Él quien os empuja a dejar las máscaras que falsean la vida; es Él quien os lee en el corazón las decisiones más auténticas que otros querrían sofocar"*.[10]

El amor filial

El amor filial visto desde la óptica de que soy Hijo de Dios es el amor más misterioso y que merece mayor meditación por nuestra parte. Soy hijo de Dios, de esta afirmación parte mi dignidad, mi existir, mi propósito, mi ser y mi razón de ser. El entender y meditar esta gran verdad cambia toda mi vida y mi forma de amar.

El amor filial también se traduce al amor terrenal de padres a hijos, *"al hacerse padres, los esposos reciben de Dios el don de una nueva responsabilidad. Su amor paterno está llamado a ser para los hijos el signo visible del mismo amor de Dios, «del que proviene toda paternidad en el cielo y en la tierra»"*.[11] Meditar

---

10   San Juan Pablo II, Vigilia de oración en Tor Vergata, XV Jornada Mundial de la Juventud, 19 de agosto del 2000.
11   San Juan Pablo II, *Familiaris Consortio*, 14.

en esta importantísima responsabilidad, a saber, que mi amor como padre a mis hijos es el reflejo del amor de Dios a sus hijos, nos hace entender la enorme responsabilidad de ser padres. También nos hace entender por qué las relaciones sexuales sólo tienen cabida dentro del matrimonio, pues la venida de un hijo es la alegría más grande, pero también la responsabilidad más grande. No solo desde el punto de vista material, que parece ser lo más importante en nuestra cultura, sino en la responsabilidad espiritual que conlleva el formar y llevar a esta nueva alma al cielo.

El amor filial no solo se refleja en el amor de padres a hijos en sentido biológico, también se vive entre los padres espirituales y los padres que adoptan hijos. San José es el mejor ejemplo de esto, ya que fue el padre adoptivo de Jesús y fue reflejo del amor de Dios Padre a Jesús. La Iglesia también participa en el reflejo de este amor filial ante la realidad de niños huérfanos en todo el mundo. Juan Pablo II en *Familiaris Consortio* lo deja muy claro: *"La acogida, el amor, la estima, el servicio múltiple y unitario —material, afectivo, educativo, espiritual— a cada niño que viene a este mundo, deberá constituir siempre una nota distintiva e irrenunciable de los cristianos, especialmente de las familias cristianas; así los niños, a la vez que crecen «en sabiduría, en estatura y en gracia ante Dios y ante los hombres», serán una preciosa ayuda para la edificación de la comunidad familiar y para la misma santificación de los padres"*.[12]

En resumen

El amor es literalmente la fuerza que mantiene nuestra existencia en todo momento. Es lo que da a nuestro ser cada respiración, cada

---

12 Ibíd, 26.

don en este mundo. Por esta razón, el hombre *"…permanece para sí mismo un ser incomprensible, su vida está privada de sentido si no se le revela el amor, si no se encuentra con el amor, si no lo experimenta y lo hace propio, si no participa en él vivamente"*.[13] Cuánto más nos separamos de la verdad del amor, más nos separamos de nuestra fuente, nuestra identidad, nuestro propósito como seres humanos. Pues, *"por el olvido de Dios la propia criatura queda oscurecida"*.[14] Por el contrario, cuanto más y más permitimos que se abra el amor en nuestras vidas, más estamos viviendo nuestro llamado divino. Convertirnos en instrumento y recipiente del amor de Dios: esto es lo que significa ser santo. Esto es lo que San Juan Pablo II ejemplificó y lo que llamó a todas las personas a recordar y vivir.

El amor, de hecho, se abre paso. El amor es la fuerza más poderosa del universo. El amor es lo que Nuestra Señora de Fátima vino a recordarle al mundo: que regresara a él para salvarse de la guerra y la destrucción. El amor es lo que derribó los regímenes ateos del siglo XX. El amor es lo que inspiró a innumerables hombres y mujeres a dar su vida por la justicia. El amor es lo que brilla en las vidas de innumerables santos, hombres y mujeres normales como tú y como yo, que elegimos dejar que la luz brille en medio de la oscuridad. El amor es lo que inspiró el gran corazón del Papa polaco a dar su vida como un regalo para todas las personas. El amor es lo que nos enseñó, y continúa enseñándonos Juan Pablo II. Recordándonos que *"Las tinieblas sólo pueden ser disipadas por la luz. El odio puede ser vencido únicamente por el amor"*.[15]

---

13 San Juan Pablo II, Redemptor Hominis, 10.
14 *Gaudium et Spes,* 36.
15 San Juan Pablo II, Discurso del Santo Padre al cuerpo diplomático, 10 de enero del 2002.

3

El mapa

"No somos la suma de nuestras debilidades y fracasos, somos la suma del amor de Dios por nosotros y nuestra verdadera capacidad de llegar a ser la imagen de su hijo Jesús"

San Juan Pablo II

En la vida solamente aprendemos a cómo vivir cuando empezamos a darnos al prójimo. Esta es la *eco*nomía del corazón humano. La palabra economía procede de dos palabras en griego: *oikos* que quiere decir 'casa' y *nemein* que quiere decir 'manejar.' Manejar los asuntos de la casa es como funcionan las cosas. Economía en su significado contemporáneo quiere decir cómo funciona el mundo del negocio que, entre muchas cosas, provee para cubrir nuestras necesidades. Esta supuesta balanza comercial es la que está detrás de cómo trabaja el mundo. Economía también se usa en la teología para describir cómo funcionan cosas como la salvación y los Sacramentos.

La 'economía del corazón humano' funciona solo cuando tenemos suficiente dominio propio para luego 'entregarnos' en un acto desinteresado a otra persona por su sumo bien. Pero esto no es fácil. *"Hay que morir para vivir,"* dice un himno católico y otro dice, *"Amar es entregarse, olvidándose de sí"*. Aunque esta entrega nunca va en contra de la dignidad de la persona. Es por esto por lo que muchas veces nos frustramos en el amor. Lejos de ser algo sencillamente complaciente, es más bien difícil, pero hermoso. Cuando nos damos a los demás comenzamos a transformarnos en quien siempre fuimos creados para ser. Pero para descubrirlo no existe ninguna fórmula matemática. No hay ecuación que nos diga que debemos sumar todas las horas de sacrificio en oración, restarle todos los pecados de nuestra vida, para después agregarle las almas que han sido salvados por nuestra intercesión. Y pensamos algunas veces que esto podría resultar en momentos de gracia. Claro que la oración es importantísima y deberíamos confesar nuestros pecados, pero el amor nos enseña aún más. Quizás la historia de una joven mujer, que encontró este amor único nos podría ayudar a entenderlo mejor.

Linette, de 'East New York'

Linette es una joven mujer que creció en Brooklyn. Y no en cualquier parte de Brooklyn, sino en una de las áreas más peligrosas del Este de Nueva York. Suele suceder que hay jóvenes que vienen de buenas familias que, al rodearse de malas influencias en las calles (sobre todo cuando existe poca estructura en el ambiente familiar), tienden a ser fácilmente influenciados y aprenden conductas negativas. Para esta joven latina, hija de padres divorciados, la vida era ya suficientemente difícil. Ella describe que su niñez fue como la "típica familia dominicana", donde su padre pasaba todo el día trabajando mientras su madre hacía el trabajo de casa. Ella sentía que su padre pasaba todo el día fuera y no dedicaba el tiempo suficiente para estar presente en el hogar. Sus padres se divorciaron cuando ella tenía 12 años y de repente su vida cambió. Al empezar a vivir con su mamá, ahora soltera, Linette tuvo que asumir la responsabilidad de quedarse a cuidar a sus hermanos mientras su mamá trabajaba todo el día. Esta situación causó que los años de adolescencia de esta joven se convirtieran en años llenos de muchas tribulaciones.

En Santo Domingo, su abuela Altagracia sabía que esto sucedería con su nieta. Cuando Linette era pequeña, la visitó en el campo y de repente la abuela tuvo un fuerte presentimiento que algo muy oscuro sucedería con su pequeña nieta. Su abuela inmediatamente supo en su corazón que tenía que rezar fuertemente por ella, porque su corazón le decía *"Siento que hay un espíritu oscuro que la rodea"*. La abuela Altagracia siempre tuvo el tipo de fe que viene de quien solo depende humildemente de Dios. Este tipo de fe es la que muchas veces es confundida en instituciones educativas de teología, donde suele ser reemplazada por explicaciones sofisticadas, que el más humilde simplemente no necesita escuchar. Abuelita Altagracia sintió en su oración que el Señor le prometió la conversión de Linette, pero ella tenía que rezar insistentemente por su nieta. Y desde ese momento las manos humildes de una señora comenzaron a menear rosarios y sus labios arrugados pronunciaron novenas en intercesión por su querida Linette.

Mientras tanto en Nueva York, la joven sentía que su vida había perdido sentido. Las tentaciones la rodeaban por todos lados y comenzaba a vivir una doble vida. Por un lado, la Iglesia y la casa, y por otro la vida con sus amistades. Aunque fueron momentos difíciles para Linette al no tener suficiente apoyo emocional, ella siempre fue una chica llena de amor, de manera particular un amor muy grande por su familia. El amor, para que sea verdadero, debe ponerse a prueba en momentos de dificultad. Como suele sucederles a muchas familias que emigraron a este país, tiempos de tribulación esperaban la familia de Linette.

Llegó la etapa de la rebeldía. Ella era muy buena defendiendo sus ideas, siempre tenía la razón, nadie podría ganar una discusión en su contra y tenía el don de argumentar su punto de vista de manera magistral. Su madre creció en Santo Domingo, así que simplemente no entendía la desobediencia de su hija. Igual que toda su generación, Linette pensaba, *"¿Qué saben los padres 'anyway'?"* Las peleas y los gritos eran frecuentes. La carga de ser una adolescente y la niñera a tiempo completo de sus dos hermanos menores comenzó a pesar cada vez más sobre ella. Entonces su vida dio un giro muy grande, a sus 17 años quedó embarazada. Su familia era como la mayoría de las familias latinas, la amenazaban con las consecuencias que este hecho podría traerle, *"si alguna vez vuelves a casa embarazada, te prometo que te…"*, seguido de amenazas de lo que sucedería, además de las promesas de repudio social y familiar. Hasta ahí suele llegar la conversación sobre el sexo antes del matrimonio en muchas familias latinas. Sentía que su vida había terminado y que sus padres la iban a matar, sin embargo, a pesar de que su familia no lo tomó como una buena noticia, las cosas no fueron tan mal. Linette se sintió apoyada todo el tiempo y como buenos latinos, toda su familia se involucró. Nunca tuvo que dejar su hogar. Se sentía muy decepcionada de sí misma, aunque nunca le pasó por la mente abortar. Ella simplemente no fue educada de esa manera. Ella dijo: *"Tomé la decisión de ser sexualmente activa. Sentí que tenía que asumir la responsabilidad, que el bebé no debería pagar con su vida por mis decisiones'- Así es como me sentía".*

Linette tenía también una familia muy grande en el grupo de jóvenes en la Parroquia de Santa Elizabeth en Ozone Park, Queens. Aunque la joven tuvo que ser casi arrastrada a este grupo, porque había muchas otras cosas que prefería hacer antes que ir a las reuniones. En este lugar es donde conoció a José. Su familia estaba involucrada en el movimiento *Jornada de la Iglesia*. Cuando se conocieron no hubo chispas volando ni algún coro de ángeles cantando en el fondo. Lo conoció porque José buscaba a alguien que pudiera hablar sobre embarazo adolescente en el grupo. Los líderes jornalistas se dividían cada semana la responsabilidad de preparar los temas para las reuniones. Luego se veían para practicar las charlas y se ayudaban mutuamente a mejorarlas. A José le tocaba preparar ese tema, el embarazo adolescente y el aborto. Así es como Linette, la adolescente embarazada que no quería ir al grupo de jóvenes, terminó en el equipo de liderazgo. Necesitaban a alguien que diera un testimonio y el de esta chica no podía ser superado. Este primer involucramiento le abrió muchas otras puertas futuras a Linette, la joven dominicana *de East New York*. Mientras tanto, en Santo Domingo las oraciones seguían fluyendo desde la pequeña capilla en un campo. Un lugar al que ningún teólogo europeo jamás llegará.

Tomar el riesgo de hablar tan pronto después de una gran dificultad, tan solo meses después de haberse convertido en madre a temprana edad, es difícil para la mayoría de las personas, pero sin embargo Linette dijo que sí y le entregó su historia a muchas personas más. La charla estuvo llena de emociones y sentimientos. Las lágrimas rodaban por las mejillas de una niña que se atrevía a responder algunas de las preguntas que se hacen tantas otras, cuando se enfrentan a los riesgos de la actividad sexual: *"Mi vida ha terminado, y mis padres me matarán"*. Pero ¿sabía Linette que esta historia, con sabor inicialmente amargo, alteraría el resto de su vida para bien y la ayudaría a volverse más humana? Casi nunca vemos el gozoso resultado que Dios tiene para nosotros cuando pide dar un paso de fe. Muchos corazones se conmovieron esa tarde. Una joven madre soltera había expuesto su corazón y se había ganado un grupo que no dejaría de apoyarla. Un joven líder de ese grupo también se sintió conmovido por lo que escuchó. Y se propuso hacer uno de los actos más profundos, más generosos y humildes de toda la historia: decidió ir a cortarse el cabello.

Su hijo tenía un año y Linette 18, casi 19. Con todas las preocupaciones y pruebas de ser una madre soltera: trabajo, escuela, alimentación y limpieza de la casa, simplemente no tenía el tiempo de llevar a su hijo a la peluquería para que le cortaran el cabello. José se enteró de la necesidad y se ofreció a llevarlo con su peluquero, porque él tenía que ir. Ese pequeño acto de bondad fue suficiente para ayudarlos a verse desde una nueva perspectiva. *"Eso es lo que debe hacer un padre"*, pensó Linette. Aunque se convenció de inmediato que cualquiera estaría dispuesto a ayudarla. Sin embargo, José siempre quería apoyar. Sin saberlo, estaba actuando como Jesús, que siempre preguntaba '¿qué quieres que haga por ti?' Su generosidad traería la paz y sanación al corazón de la joven mujer que cada vez notaba más el amor de José por su hijo. Comenzaron a enamorarse, y su amor les ayudó a convertirse en quienes siempre fueron llamados a ser. Para aprender a amar, Linette y José primero tenían que aprender a ser más humanos.

Aprendiendo a ser más enteramente humanos

Si estamos aprendiendo a amar con San Juan Pablo II, eso significa que estamos aprendiendo cómo volvernos más humanos. "¿Pero no soy ya humano?", se preguntarán algunos. Sí, pero lo que eres hoy, no es aún todo lo que fuiste destinado a ser. Déjame explicar. Amar es un acto personal y humano, algo que hacen las personas humanas. No podemos entendernos a nosotros mismos a menos que entendamos lo que significa amar y lo que significa ser amado. Hay tres tipos de personas: divinas, angélicas y humanas. Una persona es alguien que tiene intelecto y libre albedrío. Cada persona, ya sea Divina o humana, sólo puede convertirse en lo que fue destinada a ser, cuando se entrega por amor a otras personas de una manera particular. Esto significa que no podemos amar las cosas que no son personas, es decir, que solo las personas pueden amarse unas a otras de manera recíproca (dando y recibiendo). Los animales muestran lealtad y, de hecho, pueden mostrarnos una especie de amor, pero esto no es lo mismo que el amor que una persona puede demostrar. Con el debido respeto a nuestros queridos perros y gatos, simplemente no pueden amarnos como Dios lo hace.

El problema es que tenemos un poder en nuestras manos y este se puede utilizar para dar vida o para dañarla. Muchas personas están acostumbradas a ser lastimadas por otros seres humanos, y por eso optan por amar simplemente a los animales porque los animales no los lastimarán. Esto solo prueba el hecho de que estamos hechos para el amor, y que el amor posee una posibilidad salvaje de dolor profundo que sobrepasa cualquier dolor físico. ¿Qué significa esto? ¿Qué nos dice esto acerca de quiénes somos y por qué estamos aquí? Fuimos creados para una comunión mucho más profunda que la que una mascota nos puede proveer. El dolor que sentimos cuando otra persona nos hiere es real. Pero buscar consolación en el afecto que uno siente por su mascota es, en esencia, conformarse con un amor mucho menor. Nuestros corazones fueron creados para más. Ser humano significa ser creado por el amor más elevado en toda la creación. Si queremos aprender a amar, debemos examinar lo que significa ser verdaderamente humano.

Ekstasis

Esto es lo que Juan Pablo II en *Amor y Responsabilidad* denomina como la "Ley de Ekstasis" o la "Ley de entrega mutua". La palabra griega *Ekstasis* tiene dos partes *Ek-* fuera y Stasis- que significa 'estar de pie'. De manera literal significa "pararse al lado de uno mismo". Es una palabra que nos ayuda a revelar el sentido de nuestras vidas. De hecho, se usa a menudo en la Biblia para describir el desconcierto o el gran asombro ante los milagros de Jesús. También se utiliza en el Antiguo Testamento para describir un trance u oración profunda. Esta palabra se ha utilizado en el contexto cristiano para describir el fenómeno de los místicos que logran un alto nivel de oración. El antiguo filósofo Plotino, quien influyó muchísimo a San Agustín, dijo que *Ekstasis* era la culminación de la posibilidad humana. San Juan Pablo II estaría de acuerdo con eso. También la palabra se usa para describir cuando Adán dormía mientras Eva fue creada en el Génesis.

En otras palabras, nos convertimos en quienes fuimos creados para ser, cuando nos entregamos a otra persona. Hay algo muy serio sobre el amor. Nuestra noción común de amor es casi siempre entre un hombre y una mujer. Si algún niño de cualquier parte del mundo viera a un hombre caminando con una mujer embarazada, ¿qué pensaría? Asumiría de inmediato que el hombre es el padre y que la pareja está casada. Podría realmente ser que el hombre sea el hermano de la mujer u otro pariente, pero esta noción de amor está tan arraigada en nosotros que un niño probablemente asumiría lo primero. Esto es bueno, pero ¿Qué más podríamos aprender del amor?

"Amor" es la palabra más utilizada en el Nuevo Testamento. Cuando se le preguntó a Jesús cuál era el mayor mandamiento, respondió *"Amarás al Señor, tu Dios con todo tu corazón, con toda tu alma y con toda tu mente"*, y *"amarás a tu prójimo como a ti mismo"* (Mateo 22, 37-39). Si este es el mandamiento más grande, como dijo Jesús, debemos preguntarnos, ¿cómo lo estamos viviendo? El amor en verdad nos muestra la mayor parte de nosotros mismos. Cuando reflexionamos sobre el amor de Cristo, que nos *"amó hasta el extremo"* (Juan 13, 1), ¿qué otros aspectos debemos descubrir? Este amor no es solo la pregunta de nuestros corazones, sino también la búsqueda de nuestra alma.

En uno de los libros favoritos del Papa San Juan Pablo II, *Los Hermanos Karamazov*, hay un monje llamado Padre Zósimo. Es un monje cristiano con el don de sanación y el don de la percepción: el poder otorgado por el Espíritu Santo para hablar proféticamente de los problemas e incluso ver dentro de los corazones de las personas. La familia Karamazov llenos de tensión y al borde de la división completa de la familia, acudían a él para buscar consejo. Este guía espiritual proclama que la fuerza más poderosa en la tierra es la "humildad amorosa". Insiste en que nada puede resistirla. La palabra humildad viene del Latín "hummus", que significa tierra o el suelo que permite que las cosas crezcan. La humildad se basa en la verdad: saber la verdad de quiénes somos, a quién pertenecemos. La humildad es el amor que se da a sí mismo como un regalo, no se busca a sí mismo, sino que ama incondicionalmente. Es esta humildad amorosa la que vemos desplegada en cada crucifijo. Es con esta humildad amorosa que los mártires de nuestra fe estaban armados, cuando fueron abatidos por el odio de la fe. Este es el amor que es la base de una reconciliación entre cónyuges, este es el amor que sana cualquier relación a través de la conversión y este es el amor que tiene el poder de ganarse el corazón de los hijos que ya no creen o de aquellos que su fe se ha desvanecido por completo. Hermanos y hermanas, este es el amor que

Cristo nos muestra en la cruz y es la fuerza más poderosa que la tierra ha conocido.

Conocerse para dominarse, dominarse para darse, darse para transformarse en la persona que Dios te creó para ser

Linette y José comenzaban a enamorarse, pero su viaje apenas iniciaba. El enamoramiento es lo que mucha gente confunde con el amor y, a menudo, se vuelve tóxico. Después de un tiempo de ser novios, Linette y José comenzaron a hablar sobre el matrimonio. Repentinamente, José dijo que no estaba listo. Lo que siguió fue un momento difícil, que llevó a ambos a caer de rodillas y orar el uno por el otro. Fue un momento en el que tuvieron que aprender a pelear sus batallas juntos, no el uno contra el otro. San Juan Pablo II diría que ella fue invitada a la "Escuela del Amor". Si vamos a ingresar a la Escuela del Amor con San Juan Pablo II, necesitaremos un mapa, o mejor aún un GPS. El GPS nos lleva a donde queremos ir si no conocemos el camino, incluso si no sabemos en donde estamos. Muchos de nosotros no sabemos dónde estamos con el amor. Hemos amado y perdido o estamos perdidos en cuanto a cómo amar. Quizás lo siguiente nos pueda ayudar. Nuestro mapa o GPS se encuentra en cuatro puntos esenciales: *1. Autoconocimiento, 2. Dominio Propio, 3. Darse a uno mismo, y 4. Transformarse en quien Dios te creó para ser.*

Como sacerdote me llena de gozo ver los pasos que están dando los muchos que crecen en sus vocaciones. Es a través de este regalo de sí mismo que siempre se ofrece en relación con alguien o con la Iglesia, que la persona llega a un entendimiento más profundo de quién es él o ella en Cristo. En el Concilio Vaticano II, la Iglesia declaró en el documento *Gaudium et Spes: "el hombre, única criatura terrestre a la que Dios ha amado por sí mismo, no puede encontrar su propia plenitud si no es en la entrega sincera de sí mismo a los demás".*[1] Aquí tenemos la respuesta a la pregunta universal que cada corazón humano en un momento u otro se hace: *"¿quién soy yo, de dónde vengo, por qué estoy aquí, a dónde voy?"* La respuesta se encuentra simplemente conociendo nuestra identidad y entregándonos a nosotros mismos para convertirnos en quien fuimos creados para ser. La persona tiene una dignidad particular y, por lo tanto, está especialmente calificada para ser un don, un regalo. Si bien esto es cierto en el nivel de la experiencia, aquí hay una verdad ontológica más profunda que revela la verdad de la persona humana que requiere la experiencia personalista de la autodeterminación. Karol Wojtyla en 1974 resumió el proceso que lleva a la auto-donación:

> *"... tanto el dominio propio como el autogobierno implican una disposición especial para hacer un "regalo de sí mismo" y este es un regalo "desinteresado". Solo si uno se posee a sí mismo, puede darse a sí mismo y hacerlo de una manera desinteresada. Y sólo si uno se gobierna a sí mismo, puede hacerse el don de uno mismo, y esto de nuevo de manera desinteresada".*[2]

Para vivir uno tiene que amar, para amar uno tiene que dar y para dar uno tiene que estar dispuesto a sacrificar, solo así se encuentra la plenitud. Este es el camino que Cristo nos enseñó. Dar de manera egoísta no es amar y tampoco es gratis, ya que busca tomar algo a cambio en el acto mismo de dar. Cuando

1 *Gaudium et Spes,* 24.
2 Karol Wojtyla, Discurso en la conferencia internacional del séptimo centenario de la muerte de Santo Tomás de Aquino, 24 de abril de 1974.

uno logra el dominio propio, descubre que es una persona en posesión de su propia dignidad.

Esta dinámica se produce en las relaciones. José y Linette comenzaron a aprender sobre sí mismos a través de su relación, aunque estuviese llena de dificultades. Desarrollaron la comprensión de su responsabilidad mutua, pero esto no borró las heridas del pasado. Hubo un período de tremenda lucha, cuando cancelaron una posible fecha de boda. José sintió que no estaba listo y fue insistente. Linette no podía entender por qué había un cambio de un momento a otro y sintió que él se estaba aislando cada vez más. La joven viajó con su tía al pequeño pueblecito de su abuela y visitó aquel lugar donde se habían pronunciado incansables oraciones por ella, aquella capilla en Santo Domingo. Linette describe su experiencia luego de una profunda oración: *"Literalmente sentí que estaba fuera de mí. Sentí tan claramente que Dios me estaba pidiendo que orara por José porque había un ataque espiritual sobre él y él necesitaba oración"*. Ella, inmediatamente después de su oración llamó a José. Él se sorprendió de que pudiera describir exactamente lo que él sentía con precisión. Linette le dijo que no luchara solo, sino que aprendieran a luchar juntos. Este fue el punto de inflexión, cuando se dieron cuenta que Dios abrió paso y actuaba con poder en sus vidas. Comenzaron a hacer los preparativos de nuevo para la boda, durante este tiempo se encontraron con un sacerdote Franciscano que los guiaría en su caminar y luego bautizaría a todos sus hijos.

La profundidad del amor que uno tiene no es determinada por la fuerza de los sentimientos, sino por la cantidad de responsabilidad que uno siente por el otro. Cuánto más de sí mismo puede dar la persona en relación, mayor es su amor, pero hay más aquí debajo de la superficie. Una persona se entrega de manera desinteresada solo en el amor. Amar, entonces, es parte de nuestra misma naturaleza y *"se expresa precisamente en el don de sí mismo, en el hecho de dar en total propiedad ese 'yo' inalienable e incomunicable".*[3] Desde el principio de la creación está escrito en nuestros corazones que *para amar debemos, con sinceridad, entregarnos a nosotros mismos como un don.* Esta paráfrasis es la 'palabra viviente' que se transmite a través de las enseñanzas del amor de San Juan Pablo II.

Autoconocimiento

Comenzamos con el autoconocimiento. Linette ahora comparte que es José quien la hace ver quien ella es en Cristo. Ella sabe que José cree en ella y esta fe le ayuda a verse a sí misma desde una perspectiva diferente. Ella sabe que puede ser madre de 7 hijos, solo porque José cree que lo puede ser. El conocimiento de su propia persona está informado por él y la ayuda a convertirse en más de lo que a veces ella misma no cree que puede ser.

El conocimiento hace que uno salga de sí mismo para descubrir la verdad de una realidad concreta. El autoconocimiento se encuentra estrechamente ligado a la realidad que nos rodea. Los seres humanos son los únicos que pueden salir de sí mismos para luego regresar, reflexionar y llegar a conocerse. En su Teología del Cuerpo, San Juan Pablo II incluye este concepto de autoconocimiento cuando explica cómo Adán se comprendió distinto del resto de la creación. Al nombrar a todas las criaturas, no encontró una ayuda adecuada para él. Saliendo de sí para descubrir la verdad de su entorno, Adán, a su vez, descubre su identidad, es decir, conoció quién

---

3   Karol Wojtyla, Amor y responsabilidad (Madrid: Editorial Razón y Fe, S. A., 1978), 39.

era, reconoció su dignidad superior a la de toda la creación y
a la vez se dio cuenta de su necesidad de otra persona. Adán
no fue creado para estar solo. Nuestro gran santo Polaco
llama a esta etapa "Soledad Original". Adán en busca de un
conocimiento de sí más profundo, se dio cuenta que necesitaba
a un ser semejante a él, que pudiera recibir y dar amor. Es
decir, su autoconocimiento lo llevó a su propia necesidad y
esa necesidad lo preparó para el encuentro con Eva. Adán,
en este acontecimiento representa a toda la humanidad y así
nos enseña que cada ser humano recorre este camino interior.
*"Con este conocimiento que lo hace salir, en cierto modo, fuera
del propio ser, al mismo tiempo el hombre se revela a sí mismo
en toda la peculiaridad de su ser"*.[4] La autoconciencia o el
autoconocimiento es necesario para que una persona se dé
cuenta de su subjetividad. Lo que significa que es consciente
de su valor y dignidad.

Dominio propio

La auto-posesión, también se llama dominio propio, y está
cercanamente relacionada con el autogobierno. Juan Pablo
II nos relata en su *Teología del Cuerpo* que, *"La estructura de
la auto-posesión, [es] esencial para la persona…"* [5] Uno debe
dominarse a sí mismo antes de poder entregarse. En otras
palabras, no puedes dar lo que no tienes. El problema en las
relaciones a menudo se deriva del hecho de que las personas
se dan a sí mismas, cuando en realidad no se conocen o no
tienen dominio propio. Este regalo prematuro de donarse a

---

4   San Juan Pablo II, El Amor Humano en el Plan Divino (Pamplona: Fundación
GRATIS DATE, 2003), 10.
5   Ibíd, 43.

otros se vuelve destructivo porque sin ser consciente de su propia realidad y sin dominarse a sí misma, la persona no puede poner al otro primero o amar desinteresadamente. Es un *regalo egoísta* y no es amor auténtico. La autodeterminación ayuda a la persona a conocer las verdades inherentes en su subjetividad. La posesión propia le ayuda a ver sus actos y su conciencia interna. Cuando yo actuó, de vez en cuando hago algo y no sé por qué lo estoy haciendo; el dominio propio quiere decir que soy más consciente, no solo de mis actos, sino de mis motivaciones interiores. El autoconocimiento guía las emociones para tomar decisiones a la luz de este conocimiento y no solo como una respuesta a sus impulsos. Esto se traduce en autoposesión o dominio propio. El viejo adagio dice: *"No puedes dar lo que no tienes"*. Si una persona carece de dominio propio, no puede darse realmente a sí mismo. Dominio propio es el requisito para actuar humanamente, para Juan Pablo II. Cuando mi libre albedrío está informado y no dominado por las emociones, cuando estoy consciente de quién soy y cómo debería de actuar, y cuando actúo con pleno conocimiento y en posesión de mi ser, es ahí donde estoy actuando humanamente. Dominio propio es actuar en libertad, sin embargo, este tema de la libertad se explica detalladamente en el siguiente capítulo.

Darse uno mismo

El auto-regalo o darse es el acto necesario en la autorrealización del ser humano. Por definición, no es un acto egoísta, sino todo lo contrario, el vaciamiento de sí mismo en el contexto cristiano siempre es un acto de amor. Jesús se anonadó a sí mismo cuando fue a la cruz. Cristo revela su deseo por entregarse libremente y por amor, lo expresa en las palabras del evangelio de San Juan 10, 17-18 *"Por eso me ama el Padre, porque doy mi vida, para recobrarla de nuevo. Nadie me la quita; yo la doy voluntariamente. Tengo poder para darla y poder para recobrarla de nuevo; esa es la orden que he recibido de mi Padre".* Dios que es amor se derrama continuamente como regalo. El mundo fue creado por Dios *"...infinitamente perfecto y bienaventurado en sí mismo, en un designio de pura bondad ha creado libremente al hombre para hacerle partícipe de su vida bienaventurada".*[6] Por medio de esta bondad es evidente que "Dios es amor" (Jn 4,16) no solo en lo que hace, sino en quién es. Es decir, *Las Santísima Trinidad es un solo Dios en tres divinas Personas en un eterno intercambio de amor.* Esto se mostró principalmente en la cruz de Cristo, donde se desprendió de su propia vida para nuestra redención y esto es dado perpetuamente a través de la celebración del Santísimo Sacrificio de la Eucaristía.

Así como en la ofrenda de Cristo al Padre, hubo un sacrificio, así mismo a nuestra manera estamos "dando" lo que somos. La entrega solamente de lo que nos sobra, no es un don y nunca nos llevará a la transformación interior. Un don desinteresado tiene las características de un regalo conyugal que es completo, exclusivo, total y fiel. La entrega de sí mismo por su naturaleza no se encuentra exclusivamente en una unión nupcial, sino que es un punto de referencia universal para que aprendamos la verdad más profunda sobre el hombre.

Transformarse en quien Dios te creó para ser

San Ireneo en su gran obra *Contra los Herejes,* nos relata que, "La gloria de Dios es el hombre vivo; la vida del hombre es contemplar a Dios". Como criaturas hechas a imagen de Dios, avanzamos cuando nos transformamos en un don

---

6   *Catecismo de la Iglesia Católica,* 1.

sincero de nosotros mismos (dándonos entera, exclusiva, total y fructíferamente – como en la relación conyugal), nos transformamos en quienes fuimos creados para ser (para vivir y participar en ese amor dado en Dios que es Amor). El anhelo del corazón que todos experimentamos fue creado para un bien más profundo – el del amor y la comunión. Por ende, el hombre es llamado a estar en relación comunal de amor (relación conyugal) por medio del regalo sincero de uno mismo para y a través de Jesucristo. Este don no aísla a la persona, sino que participa en su vida misma. Uno no pierde nada cuando se da a otros, en realidad, se transforma más enteramente en uno mismo a través de esa entrega. Cuando dos personas se dan el uno al otro sin reservas como un don propio en el matrimonio eclesiástico, algo maravilloso sucede. Su amor se transforma radicalmente en algo más fuerte que ellos mismos. Y a veces, ese amor es tan verdadero, ¡que nueve meses después le ponen nombre y apellido! En esta nueva criatura, el esposo y la esposa comienzan a descubrir aún más de sí mismos y aprenden a dar más generosamente. Linette y José comparten que el momento más lleno de bendición para ellos es cuando pueden acurrucar a uno de sus niños, y pueden decir "Nuestro amor hizo esto". Este don de sí mismos es realmente visto en el amor conyugal, pero es también realizado en cualquier persona que aprende a darse a sí mismo como un regalo. No perdemos nada cuando nos damos a los demás. "En verdad, en verdad os digo: si el grano de trigo no cae en tierra y muere, queda él solo; pero si muere, da mucho fruto". (Jn 12,24). Toda la humanidad es creada para recibir esto y hemos sido invitados a responder a este llamado en libertad.

San Juan Pablo II escribe: *"Creándola a su imagen y conservándola continuamente en el ser, Dios inscribe en la humanidad del hombre y de la mujer la vocación y consiguientemente la capacidad y la responsabilidad del amor y de la comunión. El amor es por tanto la vocación fundamental e innata de todo ser humano".*[7] Dios quiere mostrarnos su amor trascendente a las personas humanas a través de Jesucristo. Jesús revela lo que es el amor auténtico al darse a sí mismo como un regalo, invitándonos a hacer lo mismo: "Porque os he dado ejemplo, para que como yo os he hecho, vosotros también hagáis". (Jn 13,16)

En resumen

Dios no simplemente hizo su creación sin un plan para la perfección; Él creó al hombre para conocerse a sí mismo a través de Jesús. Como nos relata San Juan Pablo II en una de sus exhortaciones:

> *"En Jesús, el hombre puede por fin conocer la verdad sobre sí mismo. La vida perfectamente humana de Jesús, dedicada enteramente al amor y al servicio del Padre y de la humanidad, revela que la vocación de todo ser humano consiste en recibir y dar amor."*[8]

Dios es una comunión de personas, Padre, Hijo y Espíritu Santo. Dios el Padre se conoce perfectamente a sí mismo, y este conocimiento del Padre es la persona del Hijo, Jesucristo, y es a través de Jesús y su cumplimiento de la Voluntad del Padre que Dios se nos revela. Del amor que fluye del Padre y del Hijo procede una tercera persona, el Espíritu Santo. Analógicamente, la persona humana, hecha a imagen y semejanza de Dios,

---

7   San Juan Pablo II, *Familiaris Consortio*, 11.
8   San Juan Pablo II, *Ecclesia en Asia*, 13.

se conoce a sí misma a la luz del amor del Padre para tener dominio sobre sí y cumplir su voluntad. El dominio propio es necesario para darse en el amor, ya que uno no puede dar de lo que no tiene. Cuando se entrega libremente como un don, un regalo de sí mismo, nace una nueva vida - literalmente en el matrimonio, nace un hijo que refleja tanto al Padre como a la Madre. Como dijo Linette, "Nuestro amor hizo esto". Fuimos hechos para esto ... cual sea nuestra vocación, fuimos creados para amar. Cada vez que una persona entrega su vida por otra en pequeños actos de amor, ambos reciben a la vez.

"Sé quién Dios te llamó a ser y encenderás al mundo entero", como nos dice Santa Catalina de Siena.

4

Libertad

*"La perfección exige aquella madurez en el darse a sí mismo,
a que está llamada la libertad del hombre".*

San Juan Pablo II

Si conocerse es necesario para dominarse entonces necesitamos examinar la libertad. Si no soy libre no puedo amar. Algunos confunden la codependencia con el amor y lo que empezó con mariposas en el estómago, la mayoría de las veces se vuelve algo tóxico (me pregunto, si uno tiene mariposas en el estómago debería ir al médico ¿no?) La libertad es la piedra angular del actuar a través de nuestra dignidad. Examinemos pues el pensamiento de San Juan Pablo II sobre la libertad.

Junior

Los frailes franciscanos tenemos un albergue ubicado en el sur del Bronx en Nueva York. Junior era un puertorriqueño de 50 años que había vivido solo desde que tenía 13 años. Su infancia transcurrió en "La Isla del Encanto," pero rápidamente encontró su lugar entre las tareas y el horario de un albergue para desamparados administrado por nuestra orden franciscana. Fue uno de los primeros hombres que visitó nuestro albergue. Nunca olvidaré cómo llegó un poco embriagado a la puerta, el primer día que abrimos el Albergue de San Antonio. Simplemente preguntó: "¿Es esto un albergue?" Yo le respondí que sí, pero que no podía venir borracho. Él dijo: "Ok", y se fue.

Regresó al día siguiente sobrio y listo para ser procesado y tener una comida caliente. Su disposición era igual a la de un niño. El comportamiento de Junior parecía transportarse a la última vez que se había sentido seguro y protegido. Había sobrevivido en la calle durante décadas, pero no había tenido un hogar desde su infancia. Recuerdo que le pregunté cuáles eran sus antecedentes y comenzó a expresar las dificultades de su vida familiar. Le habían disparado en la pierna cuando era adolescente y desde entonces caminaba cojeando y con dificultad. Su madre lo cuidó lo mejor que pudo, pero por varias razones, tuvo que luchar solo durante su adolescencia. Las drogas y el alcohol se habían hecho parte de su vida. Me sorprendió cómo había sobrevivido todos estos años, pero más aún me sorprendió la transformación que tuvo desde su llegada a nuestro albergue.

En el albergue comenzó a florecer y a desarrollarse. Trataba a los frailes como si fueran sus hermanos mayores y a los sacerdotes a cargo como si fueran sus padres. Cada noche, pedía la bendición. Todos los días rezaba el rosario con los hermanos, hasta que un día preguntó si podía ser bautizado. Uno de los hermanos comenzó a darle las clases de preparación para el sacramento, y fue el primero en ser bautizado en nuestro albergue.

Junior, al sentirse bienvenido e integrado al albergue, dejó poco a poco de sentir la necesidad de refugiarse en el alcohol. Se entregaba a sus pequeños trabajos, disfrutaba sirviendo en el apostolado con nosotros y rara vez había un momento en que no animaba a sus compañeros huéspedes en el albergue. Esto no quiere decir que las cosas siempre fueron fáciles. Junior a menudo mostraba sus heridas, especialmente cuando alguien le hablaba fuerte. De vez en cuando necesitaba que le recordaran que se bañara y cuidara de su higiene, sin embargo, siempre cuando uno lo corregía recibía las palabras con un corazón abierto. Los años en la calle pueden hacerle muchas cosas a un hombre, pero Junior me demostró que no importa cuán bajo pudiera caer alguien, siempre hay esperanza.

Como les mencioné antes, nuestro albergue se encuentra en el sur del Bronx, por lo cual cada huésped debe pasar por un detector de metales y ser revisado. El Departamento de Policía de Nueva York nos capacitó en cómo hacer esas cosas. Aprendimos que uno de los lugares donde escondían las drogas es en el zapato. Un día, cuando estaba de servicio, tuve que pedir a los chicos que se quitaran los zapatos. No les miento tuve que ser fuerte y meditar mucho sobre Jesús lavando los pies de sus discípulos. Y claro que lo que yo estaba haciendo no era una muestra de mi humildad, aunque me santificaba. Por lo general, los pies son apestosos y salían de su envoltura maltratada por las calles de Nueva York en diferentes formas. Algunos bien cuidados, otros parecían que habían pasado por múltiples guerras nucleares. Sin embargo, queríamos que nuestro refugio fuera seguro y por eso verificábamos los zapatos.

Cuando Junior llegó, noté que no tenía calcetines. Le pedí que se quitara los zapatos y me pidió ayuda, ya que la herida de bala de su adolescencia había afectado su capacidad para doblar la rodilla. Cuando lo ayudé a quitarse el zapato, vi por primera vez su pie sin calcetines. ¡Imagínate por un momento las cosas que no podríamos hacer si no pudiéramos doblar la rodilla! Le pregunté a Junior por qué no tenía calcetines puestos. Me contestó que no podía alcanzar sus pies y que necesitaba ayuda. Yo estaba perplejo y un poco horrorizado, primero porque Junior nunca había pedido ayuda, y segundo porque yo había pensado que no la necesitaba. Como se podrá imaginar, su pie estaba desgastado y calloso. Estaba pálido y con restos de piel seca por todas partes, pero lo más impactante para mí fueron las uñas de sus pies. Su uña del dedo gordo había crecido tanto, que se había alargado como unas tres pulgadas por debajo de la planta del pie. En mi frustración, principalmente conmigo mismo, le pregunté a Junior por qué nunca nos había dicho sobre esto. Permaneció en silencio. Con sus zapatos puestos, salió del cuarto y vi por qué siempre caminaba cojeando. Mi corazón estaba desgarrado al pensar cómo caminaba por las calles de Nueva York, me podía imaginar cada paso lleno de dolor.

Le comenté a los otros frailes sobre la situación y sabíamos que necesitábamos ayudarlo. Entonces, después que todos los otros hombres se fueron a dormir, el fraile que le estaba enseñando el catecismo y yo le pedimos a Junior que se quedara. Llenamos unas tinas con agua caliente y le pedimos que metiera los pies. Prefiero no contarles lo que sucedió después. ¡Basta con decir que la uña del dedo del pie humano es una de las sustancias más duras de la tierra! Comenzamos lavándole los pies, luego tomamos el cortaúñas y después unas tijeras que teníamos en la oficina. Rápidamente nos dimos cuenta que era inútil, que teníamos que encontrar unas tijeras más grandes de tela y finalmente sacamos los cortadores de alambre. No me imagino cómo se veía esta escena, no tengo idea. Dos frailes en sus hábitos con utensilios de tortura sacados de la oficina y de la caja de herramientas. Debió haber sido una mezcla de comedia y tragedia, ¡una película de terror cómica! Junior por su parte reaccionaba al dolor, pero es que su uña simplemente no se dejaba cortar. Finalmente, después de muchos y largos intentos, terminamos cortando la uña a pedazos. Cuando por fin terminamos, Junior se sentó y dejó escapar un suspiro de alivio, ¡pobre hombre! Le infligimos un poco de dolor y pensé que iba a estar molesto con nuestras tácticas medievales, pero no fue así en absoluto. Él simplemente tenía una cara de alivio y estaba muy agradecido con nosotros. Siguió dándonos las gracias mientras poníamos calcetines nuevos en sus pies. Cuando se levantó para irse a dormir, ya no tenía la misma cojera. Se estaba volviendo cada vez más libre.

Libertad y poder darse

Junior se sometió a un proceso de liberación. En este caso fueron las circunstancias de su vida mezcladas con traumas y travesías que le llevaron a ese estado. Pero con ayuda y el ambiente apropiado pudo lograr un cambio. Esta es una parte esencial de aprender a amar. Si estamos aprendiendo a amar, debemos hablar sobre el proceso de volvernos más libres. San Juan Pablo II nos enseñó que la persona humana fue creada para actuar en libertad consciente de su responsabilidad. La libertad radica en saber quién Dios te creó para ser. Y este conocimiento nos hace entender nuestra responsabilidad para con los que nos rodean. Cuando Junior se sintió amado por los hermanos y se dio cuenta que el acto nuestro era solo un pequeño reflejo del amor de Dios, comenzó a difundir ese amor y animó a los otros hombres en el refugio. Eventualmente aprendió a pensar en este conocimiento del amor de Dios y dominar sus emociones a través de él, cuando sus heridas estallaban.

La libertad ocurre cuando ordenamos nuestras emociones y permitimos que nuestra razón actúe correctamente con la información que recibe de ellas. Para San Juan Pablo II esto se muestra en un "acto humano" el cual define como la acción de una persona que posee dominio propio, por lo cual está actuando con responsabilidad. Una persona que es libre es consciente de su dignidad de ser hijo de Dios, y es a través del acto que revela que es una persona con dignidad intrínseca. Es decir, si yo estoy en posesión de mi estado como hijo de Dios (consiente, libre y entregado), entonces mis acciones lo revelarán.

Esto significa que cuando uno actúa con conocimiento de sí mismo, dominio propio y se entrega a otra persona, se revela su dignidad. Cuanto más consciente es la persona, más se domina a sí para darse a los demás. Junior, a través de su estadía en el albergue, comenzó a aprender sobre sus responsabilidades y esto lo ayudó a crecer en otras libertades. Tenía un ambiente seguro que le permitió crecer de manera hermosa, pero solo con su participación plena se produjo este florecimiento. Tenía que desearlo y trabajar en ello mientras participaba con la gracia divina que se derramaba sobre él para ser más libre. Junior pudo caminar correctamente cuando reconoció su necesidad y soportó lo que tenía que soportar para lograr un cambio duradero. Quienes lo ayudaron en este doloroso proceso lo hicieron con amor, un amor que no temía permitirle sufrir dolor por un bien mayor. Pero cuando se completó ese proceso, inmediatamente vio los frutos de su esfuerzo.

La libertad es para nuestro bien y Dios nos la otorga, pero nosotros también debemos dedicarnos a hacer nuestra parte del trabajo y determinar por nosotros mismos cómo participaremos en la gran *Historia de Amor* que es la salvación de Dios. Esta es la autodeterminación con la que Wojtyla equipara a la libertad. Es decir, la libertad es el poder de la persona para transformarse en aquella que Dios le creó para ser. Pero esto difícilmente le puede suceder a una persona que está sola, simplemente reflexionando sobre sí mismo. Debe suceder en una relación de amor con otra persona. El 'yo' debe tener un 'tú' - un 'tú' no un 'esto' (refiriéndonos a una cosa). Para que Junior pudiera realizar el acto libre de ser bautizado, tenía que entenderse a sí mismo como persona, como un 'yo' y darse asimismo a otra persona, a un 'tú'. Esto sucedió de manera simple: ofreciéndose a servir en oficios pequeños en el albergue y revelando su corazón en conversaciones sinceras. La experiencia de ser amado es indispensable para la comprensión de la libertad personal.

La libertad y ser plenamente creado

La libertad está en el centro de las enseñanzas de San Juan Pablo II y preservarla fue su incansable cruzada. Para Juan Pablo II, la libertad es *"condición y base de la verdadera dignidad de la persona humana"*.[1] Esto quiere decir que un acto del ser humano, realizado en plena libertad, es un acto de creación. Lo cual, no debe entenderse como creación aparte de Dios, al contrario, nos hacemos más hijos de Dios, porque Él nos ha dado esta dignidad y misión. San Juan Pablo II entiende que cuando actuamos en libertad participamos en el acto creativo de Dios. En Génesis, el mandato divino de llenar la tierra y someterla, es una manera real de participar en la creación, pero también de ser plenamente creado. Caminando en el jardín con nuestro Señor, Adán descubría quién era realmente. Así, por extensión, la libertad le permite a la persona convertirse en el constructor de culturas que protegerán esa libertad. Juan Pablo II define la libertad citando a uno de los filósofos más reconocidos de Grecia:

> *"La respuesta se puede entrever ya en Aristóteles. Para él, la libertad es una propiedad de la voluntad que se realiza por medio de la verdad. Al hombre se le da como tarea que cumplir. No existe libertad sin la verdad"*.[2]

---

1   San Juan Pablo II, *Redemptor Hominis,* 12.
2   San Juan Pablo II, *Memoria e identidad* (Buenos Aires: Grupo Editorial Planeta, 2005), 56.

San Juan Pablo II ve a Cristo como el portador de la libertad
basada en la verdad. Al comentar en *Redemptor Hominis* las
palabras de Jesús en el Evangelio de San Juan: *"conoceréis
la verdad y la verdad os hará libres" (Jn 8,32)*, Su Santidad
nos dice lo siguiente: *"Estas palabras encierran una exigencia
fundamental y al mismo tiempo una advertencia: la exigencia de
una relación honesta con respecto a la verdad, como condición
de una auténtica libertad; y la advertencia, además, de que se
evite cualquier libertad aparente, cualquier libertad superficial y
unilateral, cualquier libertad que no profundiza en toda la verdad
sobre el hombre y sobre el mundo"*. [3]

La libertad no es simplemente el obtener algo cuando lo
quieres, como algunos filósofos han propuesto. Tampoco es algo
que haces solo porque puedes. Lo siento por todos los fanáticos
de la canción ranchera *'El Rey'*, pero con dinero o sin dinero,
hacer siempre lo que quieres, no es libertad. No es lo que San
Juan Pablo II quiere decir con libertad. Ser capaz de actuar según
nuestro deseo es tan solo un ladrillo en la construcción, no un fin
en sí mismo. Esto solo explica una característica del gran poder
de la libertad. De hecho, esta ha sido la razón de grandes abusos
de la libertad. La cultura popular tiende a definir la libertad como
ser 'libre de toda restricción'; el hecho de poder hacer lo que uno
quiere según su propio criterio, a menudo aislado, pensando que
eso es lo que nos hará felices. San Juan Pablo II sostiene que esta
definición de libertad es primitiva y *"en cualquier caso, su influjo
es potencialmente devastador"*. [4] El entendimiento actual de la
libertad ha sido afectado por los últimos 100 años, especialmente
después de la caída de los principales regímenes totalitarios a

---

3   San Juan Pablo II, *Redemptor Hominis*, 12.
4   San Juan Pablo II, *Memoria e identidad* (Buenos Aires: Grupo Editorial Planeta,
2005), 50.

finales del siglo pasado. Lo que antes era una guerra de ideologías (Comunista vs. Capitalista) ahora se ha convertido en un vacío donde cada uno crea su propia verdad. Ahora parece que estamos brindando culto al dios: *Yo*. El creciente consumismo narcisista nos impulsa a querer más y más, a comprar el carro de último modelo, la casa más grande de lo que necesitamos, o la última versión de celular. Pero es una trampa porque en la búsqueda de la libertad, más bien nos encontramos esclavizados a este sistema de consumo. Todo esto demuestra el uso inapropiado de la libertad que nos trae consecuencias negativas a la persona y a la sociedad entera.

En otras palabras, nos negamos a emitir un juicio moral. Si algo está bien o mal, evitamos decirlo y simplemente afirmamos "es lo que es" o "es lo que pienso que es". Pensemos por un momento en un mundo donde todos dictan su propia moralidad, donde "hacemos lo que sentimos". Esto me recuerda una vez que estuve en un país centroamericano conduciendo al aeropuerto a las dos de la mañana. Mis amigos me dijeron insistiendo: *"A esa hora no pares el carro por ninguna razón, pase lo que pase. En los semáforos pasa la luz roja y si la policía te detiene, diles que estabas en una parte peligrosa de la ciudad".* Lo hice, ¡que Dios me perdone! En cada semáforo pedía perdón a Dios y su ayuda para que no viniera algún auto en el carril de la luz verde. ¿Qué clase de mundo sería si nadie obedeciera las señales de tránsito? ¡Ay de nosotros!

La libertad y la metafísica

El resultado de lo anterior, por supuesto, sería la anarquía. Necesitamos orden, pero a la vez necesitamos ejercer nuestro libre albedrío y tener un ambiente donde podamos hacerlo. Esta dinámica es algo que muchos han intentado controlar o desenfrenar, dependiendo. Hoy en día, la sociedad secular intenta regular la libertad para evitar caos o violencia. Según esta manera de pensar, nuestra libertad se convierte en una amenaza para el dominio de la sociedad. Muchas películas hoy en día tratan de imaginar una sociedad dominada por esta filosofía, por ejemplo, en la película "El dador de recuerdos", la sociedad estaba tratando de anestesiar las emociones y el impulso de elegir por sí misma. El otro extremo es el criterio empleado por algunos eruditos seculares que ha sido utilitario o hedonista en el sentido filosófico, es empleado por algunas personas seculares de alto y sólido conocimiento que piensan más en la utilidad o el placer inmediato de cada acción. Es decir, ellos piensan más en la intención y no lo que se está haciendo en sí para lograr su objetivo. Por ejemplo, digamos que alguien que no tenía hambre robó pan y esta persona explica que no era su intención hacerlo, entonces consideran que la acción no es realmente robar. Piensan más en cómo fue la experiencia de la persona y esto puede tener sus peligros y consecuencias negativas. La moralidad queda en la intención y no en el objeto del acto. Dicen que no hay nada más allá de nuestra experiencia. Insisten en que 'Si no lo puedo ver y experimentar por mí mismo, no existe'. Entonces la realidad se convierte en un cálculo de lo que me place o no, de lo que me conviene o no. Se presentan dos extremos, por un lado, una sociedad donde no hay violencia, pero a costa de su libertad y, por otro se hace todo lo que se quiere sin límites esclavizándose en el proceso.

Los placeres subjetivos, tanto físicos como espirituales, se convierten en el criterio de acción para la persona y la sociedad; y esta es una ética deficiente. La acción está así asociada con mi felicidad subjetiva o la de mi grupo tal como lo defino. Lo interesante es que San Juan Pablo II escuchó la percepción de estos filósofos y empezó a darles lo que les hacía falta: una base más allá de lo que se puede ver. Su contribución, como se dijo anteriormente, abre las puertas para una síntesis de la comprensión metafísica y antropológica que San Juan Pablo II trae a la luz. Es decir, la modernidad dice que el hombre no tiene un significado más allá de lo que experimenta, él dice que podemos ver a Dios en lo que experimentamos, y que sí podemos escudriñar las verdades que existen más allá de nuestra percepción, con nuestra experiencia como punto de partida.

Claro que otros vieron esta eventualidad y la confrontaron. Emmanuel Kant, un filósofo del siglo XIX, llena el vacío con su "imperativo categórico" que San Juan Pablo II cita en una de sus manifestaciones como, *"Obra de tal modo que trates a la humanidad, tanto la tuya como la de las otras personas, siempre y simultáneamente como fin y nunca como medio"*.[5] Este paso importante no puede ser subestimado. Las personas no deben ser utilizadas como objetos. Aunque esta idea parecía correcta, tenía un problema. Para Kant, uno debe actuar por obligación de una manera moral, sometiéndose a los demás. Para hacer esto, debe prescindir de su propia razón, porque, para Kant, la sociedad existe para la protección de sus derechos, no de su felicidad. La razón se puede usar para justificar nuestros deseos de felicidad, por lo que Kant se basa únicamente en el deber. Es decir, hacemos el bien porque tenemos que hacerlo. Es un imperativo porque la razón puede probar que se debe hacer algo, pero se le olvidó una de las verdades más básicas de la humanidad: aunque tenemos una naturaleza caída, aun así, es connatural para el ser humano desear el bien por sí mismo, la verdad por sí misma y lo bello por sí mismo. Dios nos creó buenos y ni siquiera el pecado original puede oscurecer completamente la bondad de Dios en

---

5   Ibíd, 53.

nosotros, la cual compartimos por ser creación suya. Sí, existe la posibilidad de hacer el mal en nuestro desarrollo, pero esta posibilidad no es suficiente razón para eliminar nuestra libertad. De hecho, el riesgo debería de subrayar la majestad de este gran don que Dios nos ha dado, y ejercerla lo más que se pueda.

En resumen

Junior se bautizó en la Vigilia Pascual. Se vistió completamente de blanco y tenía el atuendo de primera comunión. Parecía como un niño, excepto que era muy alto, muy calvo y viejo. Cuando lo bauticé, toda la iglesia se llenó de gozo, pero no se podía comparar al gozo que sintió este hombre que no tenía techo propio, pero que encontró un hogar. Su nombre cambió esa noche de Junior a Mateo. Y después insistió que todos le llamaran por su nombre de bautismo. El proceso de desarrollar su libertad no fue fácil, pero a fin de cuentas, fue una transformación impactante. Junior, ahora convertido en Mateo, comenzó una vida con propósito. Empezó a realizarse como Dios siempre quiso. En el misterio de la vida quizá él tenía que pasar por cada trauma para ver la luz en la oscuridad. Quizá… Yo no sé. Yo solo sé que empezó a vivir más plenamente su humanidad: así como Dios lo quiso.

5

Tipos de amor para una relación duradera: la ternura y el amor esponsal

"Los conceptos crean ídolos, la maravilla de Dios comprende cualquier cosa. La gente se mata entre sí por sus ídolos. La maravilla nos hace caer de rodillas".

San Gregorio de Nisa

En el pensamiento de San Juan Pablo II la ternura o el cariño tienen un lugar central. Sin embargo, el uso común que le damos a estas palabras las hace diferentes. En mi familia, ser cariñoso quiere decir dar un abrazo o saludar con entusiasmo a cada mirada. Para nosotros, mostrar ternura era algo entre bebé y madre o tal vez entre padre e hija pequeña. Para la sociedad, una pareja es cariñosa si siempre se están besando o agarrando de las manos. Y claro, en nuestra música se habla de ternura o cariño a menudo. Muchas veces las canciones del pasado nos inspiran a pensar en el significado de la ternura. Viene a mi mente la letra de una antigua canción mexicana que interpretaba Rigo Tovar: *"Cariño que nació de la nada/ sin saber se convierte en sublime obsesión/ Tu eres para mí indiferente, sin pensar que algún día/ tú serías mi amor/ El tiempo te dirá, la realidad/ y yo te adoraré, una eternidad"*. La sabiduría que se encuentra en algunas de estas viejas canciones nos puede dar una buena noción del cariño. 'Sublime obsesión', suena como algo agridulce. En su libro *Amor y Responsabilidad,* escrito cuando San Juan Pablo II era profesor en la universidad, la palabra cariño también es traducida como 'ternura'. Él, hablando de la ternura/ cariño, dice, *"su significado y su papel en la vida de los hombres son muy particulares, sobre todo en el terreno de las relaciones entre el hombre y la mujer: la sublimación de estas relaciones, en una medida muy amplia, está fundada en la ternura"*.[1] ¡Parece que Rigo Tovar nos estaba enseñando filosofía! Sublimar nuestra ternura nos puede ayudar a entender nuestras emociones, las relaciones y nuestro amor hacia Dios. Sin embargo, 'la ternura' podría perder sensibilidad al desbordarse en actos prematuros o en una falta de modestia emocional (llamada *sensualidad* en *Amor y Responsabilidad*). Entonces ¿cómo podemos entender las letras como la de esta canción y establecer una base del verdadero significado del amor?

El asombro

Las siguientes palabras de Juan Pablo II nos podrían ayudar a mantener nuestros pies sobre la tierra: *"El hombre está llamado a amar a Dios con una entrega total y a tratar a sus hermanos con una actitud de amor inspirado en el amor mismo de Dios. Convertirse significa convertirse al amor"*.[2]

El asombro, de hecho, es la primavera de un amor profundo y duradero. Hay muchas cosas que van en contra del amor,

---

1   Karol Wojtyla, *Amor y responsabilidad* (Madrid: Editorial Razón y Fe, S. A., 1978), 101.
2   San Juan Pablo II, Audiencia General, 6 de octubre de 1999.

circunstancias que surgen en la vida que dañan y disminuyen nuestra capacidad de amar. De hecho, parece como si hoy en día siempre hubiese maneras nuevas de causar daño a los demás. Basta decir que estas circunstancias que se interponen entre el amor de un esposo y su esposa pueden ser bastante "normales", a la vez imprevistas y devastadoras, pero también pueden abrir la puerta a la reconciliación, al verdadero perdón, algo que es más profundo que el poder humano.

San Juan Pablo II habló siempre de manera muy clara a los jóvenes con respecto a lo que es amar y lo que les toca defender en el mundo de hoy. En uno de sus discursos los invitaba:

> *"Luchad con denuedo contra el pecado, contra las fuerzas del mal en todas sus formas, luchad contra el pecado. Combatid el buen combate de la fe por la dignidad del hombre, por la dignidad del amor, por una vida noble, de hijos de Dios. Vencer el pecado mediante el perdón de Dios es una curación, es una resurrección. Hacedlo con plena conciencia de vuestra responsabilidad irrenunciable".*[3]

El poder del asombro nos ayuda a reconocernos como parte de un plan más grande y a ser más humildes. Pero, ¿por qué hablar del asombro? ¡Buena pregunta! El asombro inspira al corazón a buscar algo o alguien más allá de nuestro ser, y es una fuente inagotable de inspiración y meditación. En el cielo el asombro va a ser nuestro pan de cada día por la eternidad y se pueden ver sus rasgos en las canciones románticas que siempre hablan de un amor que solo Dios puede dar, ¿cómo puede decir un

---

3   San Juan Pablo II, Discurso a los jóvenes, Estadio Nacional de Santiago de Chile, 2 de abril de 1987.

ser humano que te amará por la eternidad si solo Dios es eterno?; solo con él podemos amar de tal manera. Sin asombro no podemos amar a Dios, si no podemos amar a Dios no podemos amar al prójimo con ese amor que necesitamos hoy en día. Hace mucha falta un amor que esté dispuesto no solo a sacrificar sino también a inspirar asombro. Cuando meditamos con asombro el amor de Dios hacia nosotros, es que podemos responder con ternura a los demás.

La ternura

La ternura es siempre estar tomando en cuenta a la persona que está delante de nosotros. Sí, se puede fallar a veces, sin embargo, el deseo de mostrar la ternura es el mismo corazón humano diciendo "dame otra oportunidad". En el Catecismo de la Iglesia Católica encontramos: "El amor auténtico conyugal se encuentra en el amor divino" (1639). Esto es lo que lo hace tan increíble, que hay una conexión entre el amor que mostramos a nuestros semejantes y nuestro amor hacia Dios. Muchas veces, nuestra capacidad de entregarnos por amor necesita ser formada y perfeccionada por medio de intentos fallidos, errores humanos y miles de disculpas, para entonces llegar a la base del amor verdadero.

El nacimiento de un bebé es un gran ejemplo de lo que puede causar ternura. El ser humano sabe reconocer cuando tiene enfrente una criatura vulnerable y siente la bondad natural que provoca una vida nueva e inocente. El Papa San Juan Pablo II nos dejó muchos recuerdos de este tipo de ternura cuando cargaba, acariciaba y besaba a bebés en sus recorridos por todo el mundo. Todos recordamos (y si no lo recuerdas búscalo en Google) las fotos y videos de Juan Pablo II acariciando a niños y jóvenes con alguna discapacidad, recordando al mundo entero su dignidad intrínseca. A través de la ternura podemos comunicar amor y reconocer la belleza de todas las personas. Comúnmente, la ternura está relacionada con la mujer, pero el hombre debe ser tierno también. De hecho, hay una gran necesidad de despertar en los hombres una ternura masculina. El Papa Francisco habló de la 'ternura del Padre' cuando fue electo Papa:

> *"A mí me produce siempre una gran impresión releer la parábola del Padre misericordioso, me impresiona porque me infunde siempre una gran esperanza. Pensad en aquel hijo menor que estaba en la casa del Padre, era amado; y aun así quiere su parte de la herencia; y se va, lo gasta todo, llega al nivel más bajo, muy lejos del Padre; y cuando ha tocado fondo, siente la nostalgia del calor de la casa paterna y vuelve. "¿Y el Padre? "¿Había olvidado al hijo? No, nunca. Está allí, lo ve desde lejos, lo estaba esperando cada día, cada momento: ha estado siempre en su corazón como hijo, incluso cuando lo había abandonado, incluso cuando había dilapidado todo el patrimonio, es decir su libertad; el Padre con paciencia y amor, con esperanza y misericordia no había dejado ni un momento de pensar en él, y en cuanto lo ve, todavía lejano, corre a su encuentro y lo abraza con ternura, la ternura de Dios, sin una palabra de reproche".*[4]

En realidad, la ternura es un idioma universal que varón y mujer tienen que aprender para amar más plenamente.

San Juan Pablo II considera en su libro Amor y Responsabilidad que la ternura es:

> *"La ternura no es solamente una aptitud para la simpatía de la que acabamos de hablar, una sensibilidad para con*

---

4   Papa Francisco, Homilía para la toma de posesión de la Cátedra del Obispo de Roma, 7 de abril del 2013.

> *los estados del alma del otro. La trae consigo sin que por ello*
> *constituya su esencia, que consiste en una tendencia a hacer*
> *suyos los estados de alma de otro."* [5]

¿Qué significa esto? No es simplemente preocuparse por otra persona. Se trata de conocerse a sí mismo para entregarse y amar a la otra persona hasta el punto en que esa preocupación por ellos se convierta en un acto de amor. Pero ¡cuidado, no se confundan! Esto no es sensualidad. Él nos instruye:

> *"La ternura, en su orientación interior y en sus manifestaciones*
> *exteriores, se distingue de la sensualidad y del goce sensual,*
> *de suerte que no se les puede ni asimilar ni identificar. Los*
> *actos tanto internos como externos que son su fuente en la*
> *ternura no pueden ser calificados (moralmente) de la misma*
> *manera que los actos que tienen por origen la sensualidad y*
> *la voluntad de deleite sexual."* [6]

La ternura es 'desinteresada' en el sentido que muestra cariño no por sus propios intereses, sino por el sumo bien del amado. Sin embargo, la sensualidad puede pretender ser ternura, *"hay que vigilar para que estas diversas manifestaciones no tomen otra significación y no vengan a ser medios de satisfacer a la sensualidad y a las necesidades sexuales".* [7] Para entender esto les presento una pareja imaginaria: Pepe y Pánfila. Dos jóvenes Latinos que se encontraron en un mundo de contrastes. Dicen que se aman y piensan estar 'unidos para siempre', pero están luchando con la

---

5　Karol Wojtyla, *Amor y responsabilidad* (Madrid: Editorial Razón y Fe, S. A., 1978), 85.

6　Ibíd, 103.

7　Ibíd, 86.

impureza. Pepe justifica sus transgresiones con frases poéticas como "el amor no tiene límites", "esto no puede ser pecado si el amor que tengo por ti es demasiado fuerte," entre otras. Pánfila cae en las caricias de Pepe por haber carecido del amor de una figura paterna. Incluso cuando Pepe, por su deseo de ser un buen hombre y sentirse mal por haberla llevado así al pecado, empieza a poner límites y barreras saludables, ella empieza a crear situaciones que los terminan haciendo caer de nuevo. Ella no sabe por qué el toque masculino se ha convertido en algo necesario. Lo que empezó como muestras de ternura se ha convertido en una sensualidad obsesiva que fácilmente puede volverse tóxico. Ahora tendrán que ser mucho más intencionales en su llamado a ser castos y en su trato mutuo para rescatar su relación.

San Juan Pablo II continúa, *"La ternura nace, por tanto, de la comprensión del estado de alma de otro (e, indirectamente, de su situación exterior también, porque es la que lo condiciona), y tiende a comunicarle cuan íntimamente le está unido en aquello".*[8] Entonces ¿Qué es esto exactamente? La ternura se demuestra, así como una madre que le muestra ternura a su hijo o un padre que lleva a su hija de la mano. De hecho, ahí es donde se aprende la ternura primero (en la familia) y luego se va desarrollando al ponerse en práctica interactuando con los demás. La ternura entre amigos se muestra en el pensar por el otro por su sumo bien, como vemos en la historia de Jonathan y David en la Biblia. Cuando David estaba huyendo de la ira del rey Saúl, Jonathan lo ayudó hasta el punto de arriesgar su vida. En las parejas, la ternura se muestra no en un acto sino en una constante disposición de tener presente al amado o amada. La ternura no

---

8 Ibíd, 102.

es aquella sensualidad que busca mayormente disfrutar por el bien propio. La ternura no tiene ningún otro propósito más que amar. El amor es suficiente. El amor desea cercanía. Esta cercanía es la ternura.

Volvamos con Pepe y Pánfila. Lo que sucedió es una historia común en los acontecimientos del amor fluorescente de los jóvenes. Como Jesús nos dice en la parábola del sembrador, unas semillas cayeron entre las piedras. La semilla brotó pronto y rápidamente se secó cuando salió el sol (Mt 13,5-6), así sucedió con ellos. Pepe, canalizó la energía de su propia frustración consigo mismo y un auténtico deseo de seguir al Señor, y terminó la relación con Pánfila. Ella, por su lado, estaba destrozada (¿Qué pasó con las frases poéticas?) y empezó a buscar a llenar el vacío teniendo novio tras novio. Pepe, empezó a sentir un llamado al sacerdocio y entró al seminario. Pánfila se sintió herida y sobre todo juzgada por la Iglesia, ella vio a los creyentes como hipócritas. Después de un largo tiempo una de sus amigas la invitó a un retiro y, asombrosamente, dijo que sí sin saber por qué. Ella comentó después, "cuando llegué a ese retiro estaba muerta por dentro. No sentía nada. Estaba vacía y no sabía por qué existía". El retiro tuvo un gran impacto en su corazón y, tal vez lo más importante fue que se integró a una comunidad que le ayudó a crecer en su conversión y no volver atrás. Pánfila ya no era la misma. Descubrió su valor poco a poco a través de un proceso de sanación viviendo la castidad. No fue fácil cuando Pepe la miró por primera después de varios años. Un día en misa, Pepe vio a una joven recibiendo la comunión con mucha devoción y eso captó su atención. Luego su corazón saltó dentro de su pecho cuando se dio cuenta que era ella. Él se sintió responsable por lo que había pasado con Pánfila, una parte por su propia debilidad y por otra la inmadurez de los dos. Pepe, ahora un hombre mucho más maduro y después de una buena formación en el seminario, estaba tratando de servir al Señor, ahora como un laico.

En una Semana Santa que Pepe quería vivir reconciliado con todos, le ofreció disculpas. Pánfila le respondió con tranquilidad, *"soy yo quien te pide perdón. Pero recibo lo que me dices y te perdono"*. Empezaron a tratarse, no muy frecuentemente, pero ahora con mucha cortesía en una amistad respetuosa. Todos los amigos pensaron que pronto iban a terminar juntos de nuevo, incluso los invitaban a servir en el mismo retiro para que las chispas se encendieran. Pero Pepe notaba que Pánfila no era la misma y que tenía una cierta inocencia y seriedad. Cuando la escuchó dar un tema, ella mostró un intelecto ágil para las Escrituras que lo impresionó. Pánfila, sin embargo, parecía que no lo tomaba en cuenta y trataba de estar frente al Santísimo Sacramento en cada momento libre. En su interior sentía vergüenza por su pasado y, aunque no estaba suficientemente consciente de todos sus sentimientos, reaccionaba con un rechazo hacia los hombres. Pepe decidió rezar una novena de 40 días para discernir lo que le estaba pasando, tal y como su guía espiritual se lo había recomendado antes de salir del seminario. No entendía el ardor que estaba creciendo en su corazón. Fue después del retiro que su amistad dio un giro que les cambiaría sus vidas.

Los tres pasos de amor

Antes de ir más a fondo en el tema, vamos a repasar las 3 etapas del desarrollo de las relaciones amorosas según lo describe el Papa San Juan Pablo II en *Amor y Responsabilidad*. Aún cuando existe la sabiduría popular que mujeres transmiten a otras mujeres (ahora de manera más frecuente debido al uso de las redes sociales) y que hombres comunican a otros hombres (incluyendo frases filosóficas de canciones rancheras y consejos de Cantinflas), si no tienen como base estos tres pasos, fundados en la identidad y en el pleno desarrollo de la persona, siempre les va faltar algo. Hay que entender que son tres etapas de las relaciones amorosas según el esquema que nuestro querido escritor polaco propone como un apropiado camino para un buen noviazgo.

Amor romántico

Primeramente, existe la etapa inicial del "amor romántico" que comúnmente se llama enamoramiento. Esta etapa, hace que la gente se sienta atraída, ya sabes, las típicas mariposas en el estómago, esa sensación. Pero ten cuidado, ya que esta etapa es inconstante y subjetiva. Se centra en los sentimientos internos y en base a las emociones. Hay que respirar profundo, relajarse y reconocer que una amistad amorosa podría estar comenzando. El amor romántico es lo que vemos de manera superficial en la mayoría de las películas "románticas" y en series de televisión. Nos han hecho creer que, como seres humanos, debemos aspirar a vivir este tipo de amor romántico constantemente y, si no, ya no es amor. El amor romántico es bueno pero el cóctel de emociones que inspira no es sostenible. Si este amor no crece y se convierte en algo más, será un fin en sí mismo, lo cual es tóxico. Aunque es necesario en el inicio de una relación, el enamoramiento siempre es pasajero. El que piense que el amor solo es enamoramiento, seguramente se ha desilusionado y ha dicho, *"se nos acabó el amor"*. Hay que reconocer que esta es una etapa muy bonita en la vida que te lleva nuevamente al asombro. Es ahí donde puedes redescubrir que estás dispuesto a darte más de lo que tu creías. Por lo tanto, es muy bueno experimentar el amor romántico, aunque siempre con objetividad, para poder realmente apreciar las cualidades de la otra persona y poder seguir desarrollando en uno mismo las virtudes necesarias para crecer en el amor.

Quizás has visto el enamoramiento de alguien cercano a ti y como espectador, no logras comprender qué es lo que esta persona ve en la otra. Esto justamente es el elemento especial y también subjetivo del enamoramiento. Muchos se han enamorado de alguien que no correspondió con los mismos sentimientos, lo cual hay que reconocer que puede ser muy doloroso, pero también muy lleno de enseñanza, ya que conduce a respetar la libertad de la otra persona. El amor no puede ser forzado en alguien, ¡tiene que ser una decisión libre! Pero la manera en que expresamos nuestras intenciones debe mejorar.

En el pasado no muy lejano, el hombre se presentaba y declaraba su amor a través de canciones, poesías, serenatas, rosas y un armamento de tácticas cuidadosamente pasadas de generación a generación, siempre basadas en la capacidad del hombre de soportar el rechazo con madurez siendo respetuoso y caritativo. He visto enamoramientos iniciar precisamente después que el hombre se muestra muy capaz de perseverar a pesar de ser inicialmente rechazado. Al buscar que su amada corresponda a su amor, el hombre es impulsado a seguir luchando. El hombre maduro sabe que su intencionalidad y perseverancia mostrará su interés auténtico por ella. El hombre inmaduro busca lograr solo un sí, y no sabe perseverar en su actitud de conquista. Entiéndeme bien, no estoy hablando de nada inmoral, ni de comportamientos machistas. Haciendo un paréntesis, recuerdo que un psicólogo me dijo que el machista es simplemente un hombre afeminado. Esta materia merece su tiempo (y quizás su propio libro), pero basta decir que el machista es un niño en cuerpo de hombre adulterado en su desarrollo. A la vez, tengo que decir algo sobre este 'movimiento de condenar' que enseña que todo lo que hace un hombre, que no está aprobado por el reino de las feministas, es tóxico. Yo creo que hay muchas cosas que tienen que cambiar en nuestra cultura y nosotros los hombres debemos de ser los líderes en este cambio. Volviendo al tema, mi punto aquí es que, para volver a un amor a la antigua, el hombre tiene que dejar saber sus intenciones y estar expuesto al riesgo del rechazo. Y su respuesta a este rechazo debería de ser prudente, respetuosa y caritativa. Aunque, si tu historia es algo como la mía, donde en cada boda, quinceañera, reunión familiar o en cada fiesta se corría el riesgo de terminar en drama o pleitos, espero que tengas la esperanza de que una auténtica hombría aún se puede establecer. Tenemos que recordar que Cristo nos enseñó una mejor manera de ser hombres. Tenemos que luchar para lograrlo, y entender que el hombre tiene la capacidad de desarrollarse en un hombre pleno. ¡Sí se puede!

Amor de amistad

El amor romántico debe llevarnos al amor de amistad, dado que la amistad radica en la voluntad propia y la voluntad anhela el bien del otro y el de uno mismo. ¿Qué significa esto? Esto significa que la amistad se apodera de la persona mediante una elección decisiva para el otro. Todavía es subjetiva, lo que significa que está presente de manera más fuerte en la persona que lo está sintiendo y no la persona que lo está recibiendo, pero no se estanca en solamente las emociones y tiene como objetivo proteger el valor de la otra persona. Esta amistad por lo general toma tiempo en desarrollarse ya que, por medio de ella, uno mismo llega a conocer lo terco que uno es. Sin embargo, es en la transición del amor romántico a la amistad, aunque sea difícil, que las virtudes son verdaderamente desarrolladas. Recuerda que todo lo grande y bueno no se logra en solo un día. Después de esa transición del amor romántico a la amistad, es que se puede llegar al noviazgo de manera apropiada y con intencionalidad. De acuerdo con San Juan Pablo II, el amor se convierte en algo verdadero, cuando la atención se centra más en el "nosotros" y no solamente en el "yo". Los dos están desarrollando una identidad propia y a la vez una identidad en relación con la otra persona. Esto no es al costo de su identidad individual, como suele ocurrir en casos de codependencia; más bien es un crecimiento mutuo que está estableciendo las raíces de un amor esponsal.

No se trata de un simple "Tú me completas", como se dice en una película romántica famosa y, honestamente, medio cursi, ¡no! tiene que ser algo que va más allá de solo palabras, y debe de ser directamente congruente con nuestra realidad: las verdades de nuestras familias, la práctica de nuestra fe, las verdaderas amistades que nos rodean y los más grandes anhelos que tenemos en nuestras vidas. Este amor prometido es el negarse a uno mismo y entregarse a la otra persona en un grado mucho mayor que en las otras formas. En los corazones de los amantes surge un amor particular que consiste en hacer del "yo", que es inalienable e intransferible, una propiedad del amado. Esta es la preparación para el Sacramento del Matrimonio, donde los novios serán los ministros ordinarios del sacramento. Es decir, los novios son los que 'hacen' el sacramento cuando toman sus votos y dan su consentimiento para unirse uno al otro en un acto público con testigos en el cielo y la tierra. Es por eso que es importante ser lo necesariamente maduro, tanto emocional como psicológicamente, para poder llegar a conocerse a sí mismo, dominarse y luego poder darse enteramente para el bien del otro.

La base de este gran proceso en la escuela del amor es verdaderamente construir una vida cristocéntrica. Cristo es el maestro del amor, quién con cada gesto en su paso por la tierra nos fue enseñando con su ejemplo. Seguir sus pasos con nuestro propio comportamiento es la coherencia que el mismo San Juan Pablo II nos pide:

> *"No tengáis miedo a las exigencias del amor de Cristo. Temed, por el contrario, la pusilanimidad, la ligereza, la comodidad, el egoísmo; todo aquello que quiera acallar la voz de Cristo que, dirigiéndose a cada una, a cada uno, repite: "Contigo hablo, levántate" (Mc 5, 41)".*[9]

Es por eso que, para poder brindar amor, hay que primeramente ir a la fuente pura del amor, que es el mismo Cristo, ya que no podemos dar de lo que no tenemos. Si te sientes mal porque no seguiste estos pasos en tu relación, no te preocupes, todavía puedes empezar a aprender cómo ser un verdadero amigo de tu amado o amada. Y cuando lo hagamos podremos ver más, podremos ser más y podremos amar más. Si tenemos este cimiento del amor, podremos desarrollar nuestra disposición para soportar el reto de conocer las heridas más profundas del otro. San Juan Pablo II dice:

> *"La amamos con sus virtudes y sus defectos, y hasta un cierto punto, independientemente de sus virtudes y a pesar de sus defectos. La medida de semejante amor aparece más claramente en el momento en que su objeto comete una falta,*

---

9   San Juan Pablo II, Discurso a los jóvenes, Estadio Nacional de Santiago de Chile, 2 de abril de 1987.

cuando sus flaquezas, incluso sus pecados son innegables. El hombre que ama verdaderamente no solamente no le niega entonces su amor, sino que, al contrario, la ama todavía más, sin dejar de tener conciencia de sus defectos y de sus faltas, sin aprobarlas".[10]

El amor esponsal

Ahora con el conocimiento de la virtud y sabiendo cómo vivir según el espíritu (lo cual, Juan Pablo II describe cómo 'vivir a través del don') la pareja está lista para tomar el próximo paso. Una entrega madura de dos personas con dominio propio es algo inspirador. En la eucaristía se puede ver a Jesús crucificado, entregando su corazón y partiéndose por todo ser humano. Su cuerpo estaba literalmente roto por los azotes y el peso de la cruz. Cuando decimos "¡se me parte el alma!" estamos pasando por un gran dolor, cuanto más debió ser el dolor de Jesucristo cargando el pecado del mundo. Tenía que ser traspasado para que brotara la salvación de su costado. De igual manera, el pan consagrado es partido antes de ser repartido. En el amor esponsal, los amantes se rinden y se reciben con miedo, pero confiados sabiendo que, si luchan junto al Señor, lo que parezca plena oscuridad, se convertirá en luz. Esta ley de "entrega mutua" es vista claramente en este tipo de amor.

    Este amor lo describe San Juan Pablo II de la siguiente manera: *"Ambos, el hombre y la mujer, alejándose de la concupiscencia*

---

10   Karol Wojtyla, *Amor y responsabilidad* (Madrid: Editorial Razón y Fe, S. A., 1978), 67.

encuentran la justa dimensión de la libertad de entrega, unida a la feminidad y masculinidad en el verdadero significado del cuerpo".[11] Es a través del sacramento del matrimonio que el amor esponsal puede ser vivido en plenitud, en donde el cuerpo y alma se entregan al amado. San Juan Pablo II lo llama el "lenguaje del cuerpo", ambos cuerpos, femenino y masculino, en sus particulares diferencias físicas se complementan. La maravilla de la sexualidad puede ser explorada de manera más profunda en el misterio de la fecundidad. Dios confía a los esposos la posibilidad de nueva vida humana que vendrá al mundo a través de una nueva, única e irrepetible, unión de cuerpo y alma.

Es Juan Pablo II quién nos da todo un redescubrimiento del sacramento del matrimonio y del lenguaje corporal:

> *"El significado integral del signo sacramental del matrimonio es ese signo...—mediante el 'lenguaje del cuerpo'— el hombre y la mujer salen al encuentro del gran 'mysterium', para transferir la luz de ese misterio —luz de verdad y de belleza, expresado en el lenguaje litúrgico— en 'lenguaje del cuerpo', es decir, lenguaje de la práctica del amor, de la fidelidad y de la honestidad conyugal... En esta línea, la vida conyugal viene a ser, en algún sentido, liturgia".*[12]

Pepe y Pánfila

A fin de cuentas, ¿qué pasó con nuestros jóvenes en plena búsqueda de su propósito? Pepe se despidió de ella al final del

---

11 San Juan Pablo II, *El Amor Humano en el Plan Divino* (Pamplona: Fundación GRATIS DATE, 2003), 158.
12 Ibíd, 158.

retiro (tenía el corazón ardiendo mientras trataba de reprimir sus sentimientos como había aprendido en su espiritualidad demasiado sencilla), y ella estaba muy agradecida por el cumplido que le hizo Pepe por su charla, pero más agradecida por el consejo que le dio sobre cómo mejorar sus habilidades para hablar en el micrófono y mantener la mirada y atención de la gente. Cuando Pepe estaba saliendo de la parroquia, de repente, volteó y le contó un chiste: "Un rockero entra en el salón y empieza a tocar su música demasiado fuerte. El cura salió asustado a ver lo que estaba pasando. Le preguntó al muchacho, ¿qué estás haciendo?' El rockero le miró confuso y ¿sabes qué fue lo que le dijo?" Pepe le preguntó a Pánfila que estaba un poco cansada y no reaccionó de ninguna forma. Pepe, cuando vio su rostro le hizo pensar en la Chilindrina justo antes de darle una buena cachetada al Chavo, pero persistió con su cuento, "El rockero le dijo al cura, 'Pues afuera dice que es el salón pa'rokiar'". Después de un segundo en pleno silencio (un segundo donde Pepe sintió que su destino estaba en la balanza) ella se rio a carcajadas y su sonrisa brilló como el sol al amanecer. Después de enjugar las lágrimas de risa, ella le pidió si quería acompañarla al grupo en otro evento.

Más de un par de mensajes de texto le siguieron a esto y empezaron a conocer la nueva persona que no conocían antes. Después de sus 40 días de oración, Pepe fue al barbero, duró mucho tiempo en la regadera, se puso su mejor vestimenta (una camisa de marca y una corbata de seda) y, con el rosario en la mano, salió a visitar a Pánfila. Le compartió que estaba poniendo en oración todo lo sucedido en los últimos años y no quería interrumpir lo que ella estaba discerniendo, pero quería en verdad caminar junto a ella con más propósito en un noviazgo. Pánfila por fuera se veía muy pensativa, pero en su interior sintió un conflicto entre su necesidad de procesar información y su corazón que brincó en su pecho. Ella estaba enojada consigo misma, porque siempre trataba de dominar sus emociones, y aún así, en su rostro se notaba que estaba poniendo en orden las ideas sobre lo que Pepe le había dicho, hasta que él la interrumpió preguntando si había entendido lo que le trataba de decir. Ella, viéndolo ahora con una sonrisa, le dijo que le gustaría iniciar ese discernimiento.

Pepe y Pánfila empezaron un proceso largo, pero la garantía de ser sanados solo se emprende por una firme disposición de ser convertido en Cristo. En otras palabras, no fue fácil y aunque ambos tenían una vida de oración y una madurez sobresaliente, todavía tenían que aprender más de sí mismos a través del otro. Claro que no había nada de pleitos pesados o abusos como suele pasar en algunos noviazgos (a Pepe nunca se le ocurriría ser violento 'con la mujer más bella en todo el mundo' y Pánfila deseaba servir al Señor con todo su corazón, sabía que Pepe le ayudaba a hacer eso), pero aun así la relación era difícil porque tenían que confrontar las secuelas de las heridas del pasado y aprender a lidiar con ellas saludablemente.

Aunque los dos querían agradar al Señor, la carne es débil. En cuanto más profundizaban en una buena relación basada en la intencionalidad y el respeto, las transgresiones carnales volvieron a ser parte de su batalla y estaban pasando con más y más frecuencia. Pepe notaba que Pánfila de vez en cuando se sentía deprimida y se sentía impotente al no poder ayudarla. Su frustración lo llevaba a la pornografía. Pepe pensaba, "¿cómo puedo pedir su mano si no puedo controlar esto?" y buscó consejos entre los amigos del grupo de la Iglesia. Pánfila se sentía un poco confundida porque estaba empezando a sentir algo por otro chico. Amaba a Pepe, pero tenía un conflicto de emociones que no entendía. Para ella este nuevo sentimiento era como un amor de chocolate, como dicen; no sabía cómo distinguir una emoción pasajera de un amor duradero. Pánfila se sentía emocionalmente avergonzada por ese sentimiento momentáneo y empezó a aislarse interiormente de él pensando que sería mejor estar sola. Pepe pensó que no era lo suficientemente hombre para pedir la mano de Pánfila.

La situación alcanzó el nivel de crisis en la relación. Cuando después de una discusión los dos se dijeron palabras no muy caritativas, y decidieron darse un tiempo. Los siguientes días fueron como un caminar en la oscuridad para ellos, estaban perdidos en un mar de recuerdos y el viento de las dudas los llevaba de un lado al otro. Gracias a Dios, y a la fuerte base de una vida de oración que los dos poseían, decidieron comenzar a vivir esto orando el uno por el otro, aún con más intensidad que antes. Los dos perdonaron y aceptaron la realidad de su pasado y a la vez reconocieron que la anterior forma de lidiar con sus problemas se tenía que desenterrar como una hierba en el jardín de un amor auténtico. Pepe se dio cuenta que su corazón ya pertenecía a Pánfila y ella entendió que para desaparecer sus inseguridades necesitaba recordar todas las conformaciones que Dios le había dado de que Pepe era el hombre indicado. Como el Pan Consagrado en la Eucaristía, los dos tenían que ser partidos para ser dados del uno al otro. Aprendieron a luchar juntos, por lo cual empezaron a sentir una paz sabiendo que su amado lo conocía plenamente y aún así quería estar allí.

En resumen

En esta historia, que claramente no es un cuento de hadas, podemos ver cómo el acercamiento de estos jóvenes inicia por una atracción, es decir, un amor romántico que, en este caso, fue confundido con ternura. Este primer paso debería funcionar como base para un conocimiento más profundo de ellos mismos, aunque no fue así. Ellos se dieron cuenta de sus debilidades y, tanto querían el bien del otro, que pusieron límites. Después (aunque tuvieron que pasar algunos años) pudieron establecer una amistad con intencionalidad, con más conciencia de la realidad de la persona y es ahí donde tomaron la decisión de seguir conociendo y aprendiendo uno del otro. Cuando se decide seguir en este camino del conocimiento mutuo la amistad trasciende y se llega al noviazgo, el amor madurará solamente en la medida en que, aún conociendo sus caídas, errores, heridas e historia personal, estén dispuestos a darlo todo por su amado y a abrazarlo con toda su realidad. ¡Cuidado! no estoy diciendo que deberías conformarte con sus defectos y pecados, al contrario, el amor exige alejarse de esos comportamientos dañinos para poder darse libremente al otro, buscar su bien, luchar por su salvación cueste lo que cueste y es solo así como se puede llegar al amor esponsal.

6

El matrimonio

"El hombre y la mujer «no son ya dos, sino una sola carne» y están llamados a crecer continuamente en su comunión a través de la fidelidad cotidiana a la promesa matrimonial de la recíproca donación total".

San Juan Pablo II

Hay un dicho que dice *"Los hijos a las madres y las hijas a los padres"*. Y en mi experiencia suele ser muy cierto. En su estado natural, la familia forma a la persona con el amor de ambos padres. Cada uno tiene su forma única de mostrar el amor de Dios al hijo. Tanto el papá como la mamá, cada uno muestra su amor con sus particularidades, porque 'el Señor nos creó varón y hembra' y dijo que era muy bueno. Es decir, que el Señor actúa a través de las diferencias físicas, psicológicas y espirituales de los padres. El papá muestra un amor masculino que es necesario y la mamá muestra un amor femenino también necesario y complementario. Los dos tienen su parte. Lo que pasa muchas veces es que nosotros no recibimos ni damos este amor en una manera íntegra. Esta dinámica es el pan de cada día para las telenovelas y las canciones 'corta venas.' Conozco a muchas madres que solo se preocupan por sus hijos varones mientras que sus hijas están moviendo el cielo y la tierra para ser vistas. Hay familias en que la hija sigue siendo la princesa de su papá, mientras que, en otras las hijas no tienen una buena relación con él. Basta decir que hay suficiente verdad en el dicho como para examinar sus consecuencias.

Amor a la antigua

Cuando veo una pareja de ancianos en el parque sentados y no dicen mucho, solo se miran, yo veo un triunfo. ¿Cuál será su historia? ¿Cómo se habrán conocido? ¿Cuántas cosas tendrían que suceder para que se conocieran? ¿Cuántos momentos de reconciliación habrán tenido? Me hace pensar en mis abuelos y eso me conmueve. Pasan el tiempo en esa banca mirando lo que sucede a su alrededor, los niños jugando con globos, palomas volando, vendedores ofreciendo diferentes tipos de comida, música que se escucha a lo lejos. Este amor maduro que ha logrado ir contra viento y marea no es un amor de telenovela, ni de revista, ni siquiera de película. Este amor que ha sido probado y que ha llegado a esto, solo tomarse de la mano y disfrutar de la tarde en el parque sin necesidad de nada más ¡Debería estar en todos lados! Pero para lograrlo necesitamos tiempo, !sí, tiempo!

San Agustín nos explica en el undécimo libro de su famosísima autobiografía *Confesiones*:

> *"¿Qué es, pues, el tiempo? ¿Quién podrá explicar esto fácil y*
> *brevemente? ¿Quién podrá comprenderlo con el pensamiento,*
> *para hablar luego de él? Y, sin embargo, ¿qué cosa más*

familiar y conocida mentamos en nuestras conversaciones que el tiempo?" [1]

Hoy en día el tiempo parece una especie en peligro de extinción. No sé si es verdad, pero pienso que cuando uno es joven, el reloj de nuestras vidas camina más lento y tiene 28 horas y conforme pasan los años empieza a correr más rápido hasta que no sabemos qué pasó con nuestro tiempo. Para nosotros que recordamos un mundo antes del internet y celulares, parece que podemos decir con nostalgia que era otra edad. Juan y Josefa se conocieron muy jóvenes en una época sin tecnología, cuando todo era menos complicado. La ciudad de México era una ciudad con mucho movimiento, pero todavía era seguro salir a caminar y los niños podían jugar sin preocupación en la calle. Juan se dio cuenta de que Josefa era muy bella físicamente, pero poco a poco la fue conociendo y se dio cuenta que su corazón y su interior, eran aún más bellos. Juan era un caballero, como esos con los que sueñan las chicas de hoy, siempre con palabras de respeto, siempre cuidadoso en su trato.

Después de alrededor de dos años de noviazgo, le pidió matrimonio a Josefa, no tenía toda la vida resuelta, ni grandes lujos que ofrecer, pero era muy trabajador e inteligente, dispuesto a salir adelante y superarse. Josefa sabía que tendría que ayudar en la administración y buscando aprovechar todo lo que Juan ganaba con su honesto trabajo. Se casaron en una boda donde los novios se revestían de modestia y una humilde creatividad decoraba el jardín de su recepción.

---

1 San Agustín. Confesiones, XI, 17.

Por muchos años, cuando la familia se reunía los domingos y veían las fotos en la pared, siempre decían: "de todas las bodas de la familia esa fue la más hermosa", aunque Juan y Josefa siempre decían que las bodas de los nietos les llenaba de esperanza. Pero el amor entre los dos era el ejemplo para la familia y el deseo especialmente de todas las nietas. Claro que sí lo era porque era amor verdadero, conocedor de que el amor es entrega de uno mismo

Ese amor que se prometieron en ese momento fue respetado y fortalecido con los años, con la llegada de los hijos, con las pruebas que pone la vida. Juan cumplió su promesa de siempre ser un caballero y respetar a Josefa aún en los momentos de enojo, frustración y tristeza. Josefa cumplió su promesa de siempre apoyar a Juan y aprovechar todo lo que él aportaba para el sustento de la casa.

Juan y Josefa hoy vieron coronado su esfuerzo y amor con la llegada de los nietos, a quienes la abuela les cocinaba comida deliciosa y el abuelo les contaba cuentos para entretenerlos. Hasta la fecha para las nietas, ya grandes y casadas, la meta en la cocina es hacer las tortillas como las hacía abuelita. Juan y Josefa se seguían mirando con amor profundo, un amor tranquilo, que confía, que ha entregado todo. Los nietos sentían un calor diferente en casa de sus abuelos, una serenidad que se forja a través de los años. La verdadera belleza de la familia humana servirá de inspiración a las siguientes generaciones, que buscarán revivir lo que vivieron en su infancia.

Cuando Josefa murió todos se preocuparon por Juan, ya que él estaba completamente roto. Después de 50 años de matrimonio, de 50 años de verse todos los días, de acurrucarse juntos antes de dormir, los mismos años de comer la deliciosa comida de Josefa. Juan necesitó todo el apoyo de su familia para poder continuar viviendo sin su compañera. Aún después de 15 años de que Josefa muriera, cuando Juan la recordaba, se le llenaban los ojos de lágrimas. Juan siguió trabajando y recibiendo visitas de los nietos, vivió muchas navidades rodeado de su familia. Pero el corazón de Juan se estaba cansando de latir, después de más de 90 años de una vida honesta, de haber amado con profundidad, estaba listo para partir a la casa del Padre. Sus últimas palabras fueron "la abuela me está esperando para comer, me tengo que ir a la casa".

El matrimonio y su impacto social

Muchas personas dicen cosas diferentes acerca del matrimonio pero muy adentro de nuestro corazón existe el anhelo de tener un matrimonio como la de José y Josefa. Por eso ahora vamos a explicarlo detalladamente. Disculpa si mi explicación es muy técnica, pero creo que estamos de acuerdo que es necesario. Empecemos entonces… "El matrimonio es sagrado". Esta profunda declaración, a menudo utilizada para defender el matrimonio tradicional, es quizás la peor entendida. ¿Por qué es sagrado el matrimonio? La respuesta a esta pregunta se encuentra en el origen, la definición y la sacramentalidad de la alianza matrimonial.

Origen del matrimonio

El matrimonio es sagrado porque es un pacto instituido y ordenado por Dios mismo. Dios es el autor del matrimonio. El llamado a la vida matrimonial está inscrito en el corazón de cada persona humana. El matrimonio se rige por las leyes de Dios y estas leyes las enseña fielmente la Iglesia Católica que Él estableció. El Derecho Canónico nos recuerda que fue el propio

Cristo, que elevó el matrimonio a la dignidad del sacramento. (Can. 1051) El matrimonio, por lo tanto, siendo de Dios, precede al estado. El matrimonio es un elemento fundamental de la sociedad. Es por eso que el matrimonio debería ser la prioridad del estado. Por lo tanto, se puede decir que el matrimonio, en algunos aspectos, regula el estado, no lo contrario.

Definición del matrimonio

Christopher West, en su libro *La Buena Noticia Sobre Sexo y Matrimonio,* nos da una definición práctica de este sacramento, que vamos a examinar en detalle: *"El matrimonio es comunión íntima, exclusiva e indisoluble, de amor y vida contraída por un hombre y una mujer siguiendo el plan del Creador para propósitos de su propio bien y la procreación y educación de los hijos".* [2]

El matrimonio es una comunión íntima de amor y vida

En el matrimonio, el hombre y la mujer entran en una relación más íntima de amistad. Es un don recíproco que dura toda la vida. En el matrimonio, el esposo y la esposa se convierten en uno, pero no pierden su propia identidad. Están llamados a formar una verdadera comunión de amor, que a su vez engendra nueva vida.

El matrimonio es indisoluble

Hombre y mujer se unen en matrimonio en un vínculo de alianza indestructible. Cristo, inequívocamente, enseña esto en el Evangelio de San Mateo y San Marcos: *"Y se le acercaron*

---

2   Christopher West, *Buena noticia sobre el sexo y el matrimonio* (Úbeda: Dida book, 2015), 58.

unos fariseos que, para ponerle a prueba, le dijeron: «¿Puede uno repudiar a su mujer por un motivo cualquiera?» El respondió: «¿No habéis leído que el Creador, desde el comienzo, los hizo varón y hembra, y que dijo: Por eso dejará el hombre a su padre y a su madre y se unirá a su mujer, y los dos se harán una sola carne? De manera que ya no son dos, sino una sola carne. Pues bien, lo que Dios unió no lo separe el hombre.» Dícenle: «Pues ¿por qué Moisés prescribió dar acta de divorcio y repudiarla?» Díceles: «Moisés, teniendo en cuenta la dureza de vuestro corazón, os permitió repudiar a vuestras mujeres; pero al principio no fue así. Ahora bien, os digo que quien repudie a su mujer - no por fornicación - y se case con otra, comete adulterio". (Mt 19, 3-9)

Por su parte, el Derecho Canónico nos dice: *"Las propiedades esenciales del matrimonio son la unidad y la indisolubilidad; en el matrimonio cristiano que alcanzan una particular firmeza por razón del sacramento".* (Can. 1056) Además: *"El matrimonio ratificado y consumado no puede ser disuelto por ningún poder humano ni por ninguna causa fuera de la muerte".* (Can 1141) La Iglesia, por tanto, no sólo enseña que el divorcio es erróneo, sino que también enseña que es imposible disolver un matrimonio válido.

El matrimonio se contrae entre un hombre y una mujer

El Catecismo de la Iglesia Católica hace hincapié en la diferencia y la complementariedad de los dos sexos. Estas diferencias y complementariedades se orientan hacia el bien del matrimonio y hacia el florecimiento de la vida familiar. No sólo la armonía de la pareja, sino de la sociedad en general, depende de las necesidades y el apoyo mutuo entre los sexos. Los dos sexos unidos en matrimonio sirven como una imagen del poder y la ternura de Dios. *"La unión del hombre y la mujer en el matrimonio es una manera de imitar en la carne la generosidad y la fecundidad del Creador".* Por tanto, *dejará el hombre a su padre y a su madre y se unirá a su esposa, y serán una sola carne. Todas las generaciones humanas proceden de esta unión".*[3]

El matrimonio está diseñado por el Creador

Uno de los documentos de Vaticano II, *Gaudium et Spes,* describe el pacto matrimonial como establecido por Dios:

> *"Fundada por el Creador y en posesión de sus propias leyes, la íntima comunidad conyugal de vida y amor se establece sobre la alianza de los cónyuges, es decir, sobre su consentimiento personal e irrevocable. Así, del acto humano por el cual los esposos se dan y se reciben mutuamente, nace, aun ante la sociedad, una institución confirmada por la ley divina. Este vínculo sagrado, en atención al bien tanto de los esposos y de la prole como de la sociedad, no depende de la decisión humana. Pues es el mismo Dios el autor del matrimonio, al cual ha dotado con bienes y fines varios, todo lo cual es de suma importancia para la continuación del género humano, para el provecho personal de cada miembro de la familia y su suerte eterna, para la dignidad, estabilidad, paz y prosperidad de la misma familia y de toda la sociedad humana".*[4]

El matrimonio existe para el bien de los cónyuges y los hijos

En esta alianza sacramental los cónyuges aprenden a morir a sí mismos, a sacrificarse el uno por el otro y crecer posteriormente en santidad. En el libro de Génesis leemos que Dios dijo

---

3   *Catecismo de la Iglesia Católica,* 2333.
4   *Guadium et Spes,* 48

que *"no es bueno que el hombre esté solo"* (Gen 2,18). En este sacramento, marido y mujer reflejan la comunión de amor de la Santísima Trinidad. *"Dios inscribió en la humanidad del hombre y de la mujer la vocación y consiguientemente la capacidad y la responsabilidad del amor y de la comunión".*[5]

Una parte esencial de la doctrina católica sobre la naturaleza del matrimonio es la apertura a la procreación y educación de los niños. *Gaudium et Spes* nos dice:

> *"El matrimonio y el amor conyugal están ordenados por su propia naturaleza a la procreación y educación de la prole. Los hijos son, sin duda, el don más excelente del matrimonio y contribuyen sobremanera al bien de los propios padres. El mismo Dios, que dijo: "No es bueno que el hombre esté solo" (Gen 2, 18) y que "desde el principio... hizo al hombre varón y mujer" (Mt 19,4) queriendo comunicarle una participación especial en su propia obra creadora, bendijo al varón y a la mujer diciendo: "Creced y multiplicaos" (Gen 1, 28). De aquí que el cultivo autentico del amor conyugal y toda la estructura de la vida familiar que de él deriva, sin dejar de lado los demás fines del matrimonio, tienden a capacitar a los esposos para cooperar con fortaleza de espíritu con el amor del Creador y del Salvador, quien por medio de ellos aumentan y enriquece diariamente a su propia familia".*[6]

El matrimonio no es un contrato civil, es un pacto

Los padres del Concilio Vaticano II se refieren al matrimonio como un pacto. La diferencia con un contrato es que este

---

5   *Catecismo de la Iglesia Católica,* 2331
6   *Gaudium et Spes,* 50.

implica el intercambio de bienes, mientras que un pacto implica el intercambio de personas. Dios creó el matrimonio para que nosotros pudiéramos participar de su propio pacto de amor con su pueblo. Y es el pacto matrimonial que llama a la pareja casada a compartir el amor libre, total, fiel y fecundo de Dios. Y, finalmente, el matrimonio tiene la dignidad del sacramento. Para los cristianos bautizados el matrimonio actúa como un signo eficaz en el mundo de la unión entre Cristo y la Iglesia, y sirve como un medio para recibir la gracia.

Retos modernos para vivir un matrimonio feliz

Ahora les explicaré lo que está pasando con el matrimonio. Mis padres me enseñaron que, si alguna vez perdía algo, recorriera mis pasos anteriores. Al parecer, nuestra sociedad está perdiendo el sentido del respeto sobre la sexualidad. Entonces, para poder dar el siguiente paso, tenemos que retroceder y preguntarnos "¿cómo hemos llegado hasta aquí?" Nuestra cultura actual tiene muchas y grandes bendiciones. El énfasis en el valor de cada persona es una de ellas, pero existen también algunos inconvenientes de la generación del 'yo'.

Muchos han llamado a esta una sociedad narcisista o posmoderna, pero ¿podría ser este origen de mal uso y entendimiento de la sexualidad humana? El Papa Benedicto en su encíclica *Spe Salvi,* hizo un resumen de la historia filosófica de nuestro tiempo. Básicamente dice que nuestro concepto de salvación y cielo, que solía ser la opción única y más importante, se ha convertido en una opción entre muchas otras nuevas opciones disponibles. De hecho, Dios ya no es un factor necesario para llegar al cielo, pensamos que podemos hacerlo por nosotros mismos. El Papa expresa que el paraíso *"ya no se espera de la fe, sino de la correlación apenas descubierta entre ciencia y praxis. Con esto no es que se niegue la fe; pero queda desplazada a otro nivel –el de las realidades exclusivamente privadas y ultramundanas– al mismo tiempo que resulta en cierto modo irrelevante para el mundo".*[7] En este contexto, todo está permitido y el sexo puede fácilmente convertirse en uno de los "bienes más altos". El sexo es bueno, por ser creación de Dios. Los problemas vienen cuando el sexo se convierte en un fin en sí mismo. Si el sexo es un fin en sí, tenemos un gran inconveniente. En la raíz del entendimiento desordenado del "amor" y el "sexo" hay una confusión categórica. La palabra "amor" usada muy a menudo en nuestros días, es indistintamente asociada con el "sexo". Cuando los medios de comunicación hablan de "hacer el amor" realmente se refieren a "tener sexo".

El sexo no es amor y el amor no es sexo. El sexo es un valor. El amor es una virtud: de hecho, el amor es la suma total de todas las virtudes. El amor es la inclinación de la voluntad hacia el otro. "Amar", dice la canción, "es entregarse". El amor requiere trabajo y valentía para superar el egoísmo, la pereza y el miedo al sufrimiento. El sexo es bueno y fue creado por Dios. En el matrimonio derrama gracia porque es un acto sagrado. El sexo desenfrenado alienta al egoísmo, la pereza y la evasión del sacrificio. El sexo fuera del matrimonio no es pleno y merecemos ser amados en plenitud. El amor genuino requiere darse a sí mismo. El hombre, como lo vemos en *Gaudium et Spes*, es la *"única criatura terrestre a la que Dios ha amado por sí mismo, no puede encontrar su propia plenitud si no es en la entrega sincera de sí mismo a los demás".*[8] Mi versión de esta frase clave es, para realizarse uno tiene que entregarse.

---

7   Benedicto XVI, *Spe Salvi*, 17.
8   *Gaudium et Spes*, 24.

El sexo tiene un hermoso valor cuando se elige en un contexto virtuoso como una expresión del amor genuino. El sexo elegido fuera del marco del matrimonio es destructivo, dañino y, a veces, mortal. En estas circunstancias el sexo tiene un valor negativo. El mundo busca separar el sexo del amor genuino, mientras que la iglesia proclama a los dos como inseparables. La sexualidad nunca debe estar separada de la totalidad de la persona humana. La Iglesia se niega a aceptar las teorías que presentan a la sexualidad como una función o instintos de los órganos genitales, al contario, *"la sexualidad, en la que se expresa la pertenencia del hombre al mundo corporal y biológico, se hace personal y verdaderamente humana cuando está integrada en la relación de persona a persona, en el don mutuo total y temporalmente ilimitado del hombre y de la mujer"*.[9]

En resumen

Todos buscan una historia de amor, un amor eterno, lo hacen por medio del matrimonio. La Iglesia Católica nos enseña la razón por la cual Dios instituyó el matrimonio. Juan y Josefa tal vez no leyeron el Derecho Canónico de la Iglesia, pero sin duda lo vivieron. Tal vez por su cultura o por su contexto pudieron disfrutar de los bienes del matrimonio. Es una inversión, pero con muchas retribuciones. Varias generaciones recibirán las gracias de la entrega que hicieron Juan y Josefa. Ellos se enamoraron y se entregaron. Vivieron plenamente lo que Dios les creó para ser y ahora nos toca a nosotros seguir su ejemplo. Ojalá que un día, los casados que están leyendo este libro, puedan llegar, con la ayuda de Dios, a ser uno de esos viejitos en el parque.

---

9   *Catecismo de la Iglesia Católica*, 2337.

7

La familia y la sociedad

La familia es "base de la sociedad y el lugar donde las personas aprenden por vez primera los valores que les guían durante toda su vida".

San Juan Pablo II

Todos hemos escuchado la frase: "La familia que reza unida, permanece unida". San Juan Pablo II estaría totalmente de acuerdo con esta afirmación. Sabemos lo que es una familia – todos venimos de una. Pero, en el mundo de hoy, de muchas maneras, estamos olvidando lo que significa ser una familia en esta sociedad. Ninguno de nosotros quiere tener una familia rota. Ningún niño sueña con crecer y comenzar un matrimonio que termine en infidelidad, división o divorcio. Entonces, ¿por qué existe tanta desintegración familiar y social? San Juan Pablo II siempre afirmó que la salud de la familia y la sociedad están ligadas. En este capítulo vamos a examinar cómo podemos amar en la familia y transformar la sociedad. Porque si el Señor nos llama a ser santos entonces tenemos que empezar con la familia.

Una familia de santos

A finales del siglo XIX hubo una niña que tuvo la dicha de nacer en el gran país que es Francia. El nombre de esta niña era Teresita. En muchos aspectos, Teresita vivió una vida bastante protegida y sin complicaciones. Sus padres eran bien entregados a la Iglesia e inculcaron en todos sus hijos una fe y una vida de oración profundas. Era la consentida de su familia, vivían en tiempos de prosperidad y en una época donde vivir la fe era completamente aceptable. Pero todo eso cambió rápidamente cuando su madre murió de cáncer. Teresa tenía solo cuatro años y sufrió mucho su partida. Cuando comenzó a ir a la escuela, era socialmente torpe, tenía pocos amigos, y le resultaba difícil socializar y jugar con los otros niños. Finalmente, dejó la escuela y fue educada por una de sus cinco hermanas mayores. Cuando esta hermana, Celine, ingresó en el Convento de los Carmelitas en Lisieux, Teresita sufrió tanto que se puso muy muy triste. Se curó cuando una estatua de la Virgen María le sonrió y, más tarde, en la Navidad de 1884, a la edad de diez años, tuvo una experiencia de conversión más profunda que la llevó a desear ingresar al convento de las Carmelitas a la edad de quince años. Aunque estaba prohibido el ingreso a una edad tan temprana, ella viajó a Roma con su padre y personalmente le pidió permiso al Santo Padre, el Papa León XIII, para que le permitiera ingresar. Poco después de esto, su deseo fue concedido, y ella pudo entrar al convento. A partir de ese momento, Teresita, quien tomó el nombre religioso de la hermana Teresita del Niño Jesús y la Santa Faz, nunca más salió de esa pequeña parcela de tierra en la que se encuentra el Carmelo de Lisieux. Tenía grandes deseos de convertirse en misionera y viajar a tierras extranjeras para llevar el nombre y el amor de Jesús a aquellos que no lo conocían, pero su salud, que siempre fue muy pobre, no lo permitía.

Teresa descubrió que no era su vocación hacer grandes obras. Ella sabía que no era capaz de esto. En cambio, encontró que su vocación era *amar*. Descubrió que su camino hacia la santidad era hacer pequeñas cosas con gran amor. Así como a los padres les encantan los actos de amor realizados por sus hijos, sin importar cuán pequeños sean estos, ella buscaba simplemente agradar al corazón de Jesús. A pesar de su juventud, la salud de Teresita comenzó a declinar cada vez más. Durante su enfermedad, se le pidió que escribiera su autobiografía. Finalmente murió de tuberculosis a la edad de veinticuatro años, desconocida de todos los que se encontraban fuera de su pequeño pueblo e incluso fuera de las paredes de su convento. Sin embargo, sorprendentemente, poco después de su muerte, su autobiografía se publicó y comenzó a extenderse por todo el mundo. Apenas veintiséis años después de su partida, esta sencilla y oculta joven fue canonizada por el Papa Pío XI. Luego, en 1997, fue nombrada por San Juan Pablo II, quien tenía una gran devoción por esta santa y su manera de amar, como doctora de la Iglesia, una de las tres mujeres en la historia de la Iglesia que ha sido honrada con este título.

Recuerdo que cuando era postulante en mi comunidad Franciscana, las reliquias de Santa Teresita vinieron a la ciudad de Nueva York, y nuestra comunidad tuvo la bendición de ser responsable del traslado del aeropuerto a la Catedral de San Patricio. No sé qué tanto conoces Nueva York, pero usualmente la gente piensa que es una ciudad libertina y sin escrúpulos. Ya te podrás imaginar la reacción de los Neoyorquinos al saber que vendrían los restos de una muchacha francesa que vivió en otro siglo. Quizás acudirían unas cuantas ancianas que rezan novenas todos los días, a orar frente a ellos. Pero no fue así. ¡Realmente hubo una avalancha de personas que asistieron a venerar las reliquias! ¡La prensa secular no podía creerlo! En cada Iglesia donde sus reliquias fueron veneradas, aparecían líneas masivas de fieles, llenos de alegría y anticipación ante la oportunidad de orar frente a las reliquias de esta gran santa. Y llegaron fieles de todos los tamaños, clases y razas. ¿Cómo es posible que una joven monja enclaustrada de Francia que murió a la edad de veinticuatro años pudiera agitar una ciudad tan secular como Nueva York? ¿De dónde recibió Teresita esta personalidad magnética que, de alguna manera, puede atraer a hombres y mujeres de todos los credos y colores, incluso en nuestro mundo moderno? Además de recibir esta gracia de parte de Dios, sin duda alguna lo recibió de su familia.

Se podría decir que Teresita proviene de una familia de santos. Literalmente. Sus padres, Louis y Zelie Martin fueron elevados a los altares en el año 2015 y fueron los primeros esposos en la historia de la Iglesia Católica en ser canonizados juntos, como pareja. Muchos nos estaremos preguntando ¿cómo vivió esta santa pareja su vocación al matrimonio? En un mundo que anhela familias buenas y fuertes, pero que le resulta muy difícil formarlas, ¿cómo puede esta pareja mostrarnos no sólo cómo ser santos, sino cómo criar hijos santos? En su juventud, Louis Martin deseaba convertirse en monje agustino, pero fue rechazado por su dificultad para aprender latín. Se dedicó al oficio de relojero. Por su parte, Zelie Guérin, anhelaba ingresar al convento de las Hermanas de la Caridad, pero también fue rechazada debido a problemas de salud. Se dedicó entonces al oficio del encaje. Los dos amaban a Dios y querían ponerlo primero en sus vidas. Se conocieron en 1858, se enamoraron y se casaron solo tres meses después. Tuvieron nueve hijos, aunque solo cinco hijas sobrevivieron a la infancia ¡todas ellas terminaron entrando en conventos y convirtiéndose en monjas! Aunque ni Louis ni Zelie pudieron cumplir su deseo de volverse religiosos, ¡todas sus hijas cumplieron este deseo!

Su vida familiar era simple pero profunda. Louis y Zelie se amaban con un amor verdaderamente desinteresado, siempre poniendo al otro primero. Siempre que las niñas estaban cerca, se aseguraban de mostrarles su amor incondicional a cada una y por sobretodo que supieran que Dios las amaba individualmente. Louis amaba la naturaleza y la aventura. Una de sus aficiones favoritas era pescar en el arroyo cercano a su casa. Parece que Teresita heredó de su padre su profundo amor por las flores, el mar y las estrellas. En una ocasión, padre e hija se embarcaron en una peregrinación por toda Europa. Él le mostraba a su hija la belleza la creación de Dios, así como la grandeza de la cultura humana. Louis era también un hombre de profunda oración. Construyó incluso una capilla en el ático de su casa, a donde se retiraba a orar y estar en silencio con Dios.

Zelie, por su parte, era una mujer de gran fuerza. La muerte de sus cuatro hijos no hizo que disminuyera su gran amor, valentía y confianza en el Señor. Muchas veces en nuestras propias vidas permitimos que las tragedias y el sufrimiento endurezcan nuestros corazones. Pero este no fue el caso de Louise y Zelie, quienes lograron que estas adversidades intensificaran su amor mutuo, y derramaron este amor sobre sus cinco hijas sobrevivientes. Zelie murió a la edad de cuarenta y cinco años, dejando a Louis para que cuidara a sus cinco hijas durante los próximos diecisiete años. Louis más tarde sufrió dos derrames cerebrales y fue hospitalizado durante tres años. Finalmente pudo regresar a Lisieux y fue cuidado por dos de sus hijas. Murió dos años después, en 1894.

En su misa de canonización el 18 de octubre de 2015, el Papa Francisco dijo sobre la santa pareja: *"Los santos esposos Luis Martín y María Azelia Guérin vivieron el servicio cristiano en la familia, construyendo cada día un ambiente lleno de fe y de amor; y en este clima brotaron las vocaciones de las hijas, entre ellas santa*

Teresa del Niño Jesús".[1] Poner a Dios en primer lugar y fomentar un gran amor en su familia los convirtió en santos, y allanó el camino para que una de sus hijas se convierta en *una de las santas más grandes de los tiempos modernos.*

La familia

Hasta aquí hemos establecido que estamos hechos para el amor. Hemos viajado con San Juan Pablo II, tratando de entender en un nivel más profundo qué es realmente el amor y cómo estamos llamados a vivirlo. Hemos visto muchos ejemplos de actos heroicos de amor en hombres y mujeres, y en la propia vida de San Juan Pablo II, que nos inspiran y nos llaman a un amor más grande. Pero ahora volvamos a nosotros mismos, a nuestras propias experiencias de amor. Todos hemos experimentado el amor, lo hemos recibido, y lo hemos dado. ¿Cuál es el lugar donde experimentamos el amor por primera vez en nuestras vidas? ¿Dónde debería estar la base del amor, nuestra primera escuela? La respuesta es en la familia. Se supone que la familia es el lugar donde experimentamos amor incondicional; donde aprendemos a dar amor y crecer en amor; donde aprendemos el perdón, la aceptación de las debilidades de los demás y las nuestras; donde aprendemos a darnos a nosotros mismos y poner a los demás primero. Es la institución que Dios creó para que experimentemos el amor y, por lo tanto, comprendamos que fuimos creados para el amor.

Yo digo que la familia está destinada a ser ese lugar, aunque en nuestras propias experiencias en un mundo caído, a menudo no es así. Al principio, el Creador los hizo hombres y mujeres, y

---

1   Papa Francisco, Homilía de la Misa de Canonización de cuatro santos, 18 de octubre del 2015.

dijo: *"Por eso dejará el hombre a su padre y a su madre y se unirá a su mujer, y los dos se harán una sola carne"* (Mt 19, 5). Dios ordenó que el hombre y la mujer vivieran en unidad y amor generoso como reflejo de la comunión de las Personas en la Santísima Trinidad. Pero algo salió terriblemente mal.

Los fariseos le preguntaron a Jesús si era lícito para un hombre divorciarse de su esposa, tal y como lo había mandado Moisés, y Jesús respondió: *"teniendo en cuenta la dureza de vuestro corazón, os permitió repudiar a vuestras mujeres; pero al principio no fue así".* (Mt 19,8) ¿Qué salió mal? ¿Por qué esa dureza de corazón? El pecado original de nuestros primeros padres es la respuesta. No es por el hecho de que comieron el fruto prohibido, sino porque se eligieron a sí mismos antes que a Dios. Se pusieron a sí mismos, sus deseos y sus planes en primer lugar y ese lugar solo lo puede ocupar Dios. Cuando eso sucedió, se separaron de Dios en lo profundo de sus corazones. Muchas veces trato de imaginarme como sería nuestras vidas si la respuesta de Adán y Eva hubiese sido diferente. Que hubiera pasado si Adán hubiera dicho, "¡espera! Discúlpame serpiente, pero si quieres hablar con mi esposa debes hablar delante de mí". O si Eva hubiera respondido a la serpiente, "tú estás muy equivocada, mi Padre Celestial me ama y lo que nos pidió es porque nos ama". Pero no fue así. Y sus respuestas nos ayudan a ver el por qué suceden cosas que son difíciles de entender. Ellos no respondieron de esa manera, pero ahora nosotros podemos responder distinto, con amor y responsabilidad.

Fuimos hechos *por* amor y *para* al amor, para amar. Cuando nos separamos de nuestra fuente, que es el amor, perdemos de vista por qué fuimos creados. Esto explica por qué la familia, que fue creada por Dios para ser un lugar de amor, lamentablemente en muchos casos se ha convertido en un lugar de división, enojo e incluso, odio. Aún en las familias más unidas suceden cosas que hieren a sus miembros.

Hoy vivimos en un mundo donde la familia está siendo atacada de una manera *nunca vista en la historia de la humanidad*. Nos damos cuenta de esto cuando vemos las noticias, hojeamos un periódico o vemos los últimos programas de televisión; y ni hablar de nuestra propia familia. No es ningún secreto que hay mucha confusión sobre la familia en el mundo de hoy. Con la llegada de la revolución sexual en la década de 1960, que trajo consigo la normalización de ideas como el "amor libre" y una ola de anticonceptivos, la familia tradicional entró en una etapa nunca conocida en la historia. No estoy diciendo que el pasado fue una época "dorada" para la familia, sin duda había muchas desigualdades e ideologías culturales como "el machismo" que no vienen de Dios y necesitan ser purificados. Pero aún así, la cultura social engendraba la protección de la familia. Sin embargo, las cosas cambiaron rápidamente. Entregarse a otra persona para toda la vida comenzó a verse no como un hermoso regalo, sino como una restricción a la propia libertad. Separar el acto sexual de sus dos propósitos de procreación y unión, hizo que viéramos a los hijos como una carga en lugar de un regalo de Dios. La introducción del aborto, aparentemente como un camino a la libertad, especialmente de las mujeres, ha tenido efectos devastadores en nuestra sociedad, especialmente para las mismas mujeres. Todos estos factores han conducido a un aumento en la tasa de divorcios, a un aplazamiento general del matrimonio y su consecuente devaluación en nuestra sociedad. Esta cultura de familias rotas produce un círculo vicioso, donde los hijos que crecieron en tales familias tienen mayor dificultad para establecer familias fuertes propias. Y no es ningún secreto que las familias rotas conducen a un aumento en la depresión, en el uso de drogas, en la deserción escolar, en el pandillerismo, entre otras consecuencias tristes de nuestro mundo moderno. Con toda la confusión en el mundo sobre la familia, ¿cómo es posible que entendamos el verdadero papel de la familia? ¿Cómo podemos recorrer nuestros pasos para descubrir el camino que deben tomar nuestras familias para convertirse en refugios de amor en nuestro mundo? Afortunadamente, Dios nos regaló a San Juan Pablo II como un profeta durante nuestros tiempos, para llamarnos a una verdad que estaba comenzando a ser olvidada.

San Juan Pablo II entendió bien los ataques actuales contra la familia y tuvo una visión profunda sobre su belleza original. Escribió y predicó incansablemente para recordar al mundo que la familia es la escuela original de vida y amor, donde los niños experimentan y aprenden el amor de sus padres, y viceversa. Comprendió que la familia es la célula más fundamental de la sociedad y que, *"el futuro de mundo y de la Iglesia pasa por la familia"*.[2] En otras palabras, si la mayoría de las familias en una sociedad están construidas sobre roca firme, entonces la sociedad será fuerte. Si, por otro lado, la mayoría de las familias están construidas sobre arena, entonces no pasará mucho tiempo antes de que la sociedad comience a desmoronarse y caer.

Con esta clara visión de la belleza de la familia y también de las formas en que está siendo atacada, San Juan Pablo II convocó a un sínodo sobre la familia en 1980 (si vemos los años, nos damos cuenta que fue una de las primeras cosas que hizo en su pontificado). Invitó a los obispos y cardenales de todo el mundo para reflexionar sobre el papel de la familia cristiana en el mundo moderno. El fruto de las reflexiones de este sínodo fue su documento, una exhortación apostólica titulada *Familiaris Consortio*. Si la familia es la base de nuestra experiencia y conocimiento del amor, entonces necesitamos aprender de San Juan Pablo II cómo amar de la manera más fundamental. Este documento comienza señalando el problema de fondo:

---

2   San Juan Pablo II, Homilía, 30 de noviembre de 1986.

"La familia, en los tiempos modernos, ha sufrido quizá como ninguna otra institución, la acometida de las transformaciones amplias, profundas y rápidas de la sociedad y de la cultura. Muchas familias viven esta situación permaneciendo fieles a los valores que constituyen el fundamento de la institución familiar. Otras se sienten inciertas y desanimadas de cara a su cometido, e incluso en estado de duda o de ignorancia respecto al significado último y a la verdad de la vida conyugal y familiar... En un momento histórico en que la familia es objeto de muchas fuerzas que tratan de destruirla o deformarla, la Iglesia, consciente de que el bien de la sociedad y de sí misma está profundamente vinculado al bien de la familia, siente de manera más viva y acuciante su misión de proclamar a todos el designio de Dios sobre el matrimonio y la familia, asegurando su plena vitalidad, así como su promoción humana y cristiana, contribuyendo de este modo a la renovación de la sociedad y del mismo Pueblo de Dios".[3]

San Juan Pablo reconoce una mayor conciencia en nuestros tiempos actuales, diciendo: *"En efecto, por una parte existe una conciencia más viva de la libertad personal y una mayor atención a la calidad de las relaciones interpersonales en el matrimonio, a la promoción de la dignidad de la mujer, a la procreación responsable, a la educación de los hijos".*[4] Pero al mismo tiempo expresa una gran alarma ante *"una equivocada concepción teórica y práctica de la independencia de los cónyuges entre sí; las graves ambigüedades acerca de la relación de autoridad entre padres e hijos; las dificultades concretas que con frecuencia experimenta la familia en la transmisión de los valores; el número cada vez mayor*

---

3   San Juan Pablo II, *Familiaris Consortio*, 22.
4   Íbid, 6.

de divorcios, la plaga del aborto, el recurso cada vez más frecuente a la esterilización, la instauración de una verdadera y propia mentalidad anticoncepcional".[5] Identifica que la raíz de estos problemas es un error en nuestra comprensión de la libertad, que a menudo se ve como una licencia para hacer lo que uno quiera sin restricciones, en lugar de estar al servicio de los demás, especialmente de la familia. Es por eso que he tratado este asunto en capitulo 4. Si quieren un repaso les recomiendo revisarlo. En muchos países en desarrollo, las familias carecen de las necesidades básicas, lo cual representa problemas únicos en la vida familiar. Por su parte, en los países más prósperos, existe un consumismo excesivo que *"quita a los esposos la generosidad y la valentía para suscitar nuevas vidas humanas; y así la vida en muchas ocasiones no se ve ya como una bendición, sino como un peligro del que hay que defenderse"*.[6] En todas partes, la familia está en una lucha. Pero si es cierto que, como se afirma en Gaudium et Spes, *"el hombre ... no puede encontrar su propia plenitud si no es en la entrega sincera de sí mismo a los demás,"*[7] entonces la familia, y cada miembro de ella, necesita aprender más de este amor de entrega para convertirse en lo que fueron creados a ser.

Ya hemos hablado sobre el hermoso regalo que es el amor conyugal y el llamado al matrimonio. Pero este gran amor no termina ahí. El amor entre esposos es tan profundo que refleja el amor de Cristo por la Iglesia, que debe expandirse y debe darse a los demás. Esto pasa, como hemos dicho, en la verdadera intimidad entre la pareja, pero suele suceder con más intensidad con la llegada de los hijos, si Dios se lo permite. San

---

5   Íbid, 6.
6   Íbid, 6.
7   *Gaudium et Spes,* 24.

Juan Pablo II nos dice que este gran amor entre el hombre y la mujer *"no se agota dentro de la pareja, ya que los hace capaces de la máxima donación posible, por la cual se convierten en cooperadores de Dios en el don de la vida a una nueva persona humana".*[8] Es por diseño de Dios que cada vida humana debe venir a la existencia a través de un acto de amor que se entrega a sí mismo; también es el diseño del Creador que cada persona entre en una familia de amor; que a través de la familia *"toda persona humana queda introducida en la 'familia humana' y en la 'familia de Dios', que es la Iglesia".*[9]

La misión de la familia

San Juan Pablo II pasó muchos años reflexionando, investigando y dialogando sobre el papel y la misión de la familia. Su sabiduría provino de su experiencia personal, de aquellos a quienes sirvió, de las enseñanzas de la Iglesia que se remontan a la época de Jesús y de una relación profunda con Dios, además de su mucho tiempo dedicado a la oración personal. A través de estas fuentes, se convenció de que *"en el designio de Dios Creador y Redentor la familia descubre no sólo su identidad, lo que es, sino también su misión, lo que puede y debe hacer".*[10] Entonces, ¿cuál es la misión de la familia? Según Juan Pablo, se trata de *"custodiar, revelar y comunicar el amor".*[11] No solo esto, sino que continúa diciendo que este amor que brota en la familia es una imagen del amor de Dios por la humanidad y del amor de Jesús por la Iglesia. Esta misión, ser un reflejo

---

8   San Juan Pablo II, *Familiaris Consortio*, 14.
9   Íbid, 15.
10   Íbid, 17.
11   Íbid.

del amor de Dios por la humanidad, es mucho más grande y más asombrosa que las concepciones de la familia del mundo, o incluso de las nuestras. ¡Puede ser tan fácil quedar atrapado en las luchas, ansiedades y pruebas diarias de la vida familiar, y olvidar este gran llamado y misión que Dios ha otorgado a la familia! De hecho, esta misión puede parecer desalentadora o incluso imposible. Sin la gracia de Cristo que fluye a través de su Iglesia, es imposible cumplir esta importante misión. Fue así que Juan Pablo II le proclamó audazmente a un mundo que olvidaba su significado: *"familia, ¡sé lo que eres!"* [12] Este papel de la familia cristiana en el mundo puede parecer bastante vago, por lo que San Juan Pablo II desarrolló cuatro tareas que la familia está llamada a cumplir: *"formar una comunidad de personas, servir a la vida, participar en el desarrollo de la sociedad, y participar en la vida y misión de la Iglesia".* [13]

Formación de una comunidad de personas

Como se indicó anteriormente, la familia está destinada a *"custodiar, revelar y comunicar el amor".* [14] El amor debe ser la fuente de unidad, relación y vitalidad en una familia y, al formarse en el amor, debe fluir hacia la comunidad circundante y hacia el mundo. Vimos en el capítulo anterior que un hombre y una mujer, a través de la unión sexual, se convierten en la imagen del amor de Dios que se entrega. La familia, siendo una comunión de personas, también refleja la naturaleza de Dios, unidas en amor: Padre, Hijo y Espíritu Santo. De hecho, el amor es lo único que puede llevar a las personas a una relación de

---

12 Íbid.
13 Íbid.
14 Íbid.

comunión. *"Así como sin el amor la familia no es una comunidad de personas, así también sin el amor la familia no puede vivir, crecer y perfeccionarse como comunidad de personas"*.[15]

¡Esta es una buena noticia para la familia! El amor de Dios se da gratis, totalmente y para siempre. En un mundo pesimista que piensa que es imposible vivir un matrimonio fiel, fructífero y feliz, San Juan Pablo II nos recuerda que sí, ¡es posible! Dios mismo da a las familias la gracia de vivir esta vida y, de este modo, participar en su mismo amor: *"los cónyuges cristianos están llamados a participar realmente en la indisolubilidad irrevocable, que une a Cristo con la Iglesia su esposa, amada por Él hasta el fin"*.[16] Este es un recordatorio para el mundo de que el "sí" dado en el altar por la pareja es realmente indisoluble, que *"lo que Dios ha unido, ningún ser humano debe separarlo"* (c.f. Mt 19, 6). Con una creciente cultura de unión libre y divorcio, este es un mensaje de esperanza para las parejas casadas: ¡es posible dar un "sí" permanente!

Vivir este tipo de amor en la familia no es fácil. No sé tu situación, pero sé que en mi propia familia tenemos problemas. Las cosas son difíciles ¡A veces, ser un reflejo del amor de Dios es lo último que tenemos en mente! San Juan Pablo II entendió esto. Pasó años, desde que era un joven sacerdote en Polonia, después en su tiempo como Papa, asesorando a parejas, escuchando las alegrías y luchas, dando consejos en muchas circunstancias difíciles. Un hombre célibe, conocía bien las pruebas que las familias enfrentan a diario. Por esta razón, afirmó: *"La comunión familiar puede ser conservada y perfeccionada sólo con un gran espíritu de sacrificio. Exige, en efecto, una pronta y generosa disponibilidad de todos y cada uno a*

---

15 Íbid, 18.

16 Íbid, 20.

la comprensión, a la tolerancia, al perdón, a la reconciliación".[17]
Si la vida familiar se vive de esta manera, incluso en medio
de las pruebas, se transforma en una escuela donde cada
miembro tiene la oportunidad de practicar virtudes como la
paciencia, la aceptación y el perdón. La familia debe ser el
primer maestro de este modo de vida virtuoso, que llevará a
cada persona a un amor maduro. Aunque muchas veces no
es así, esto no perjudica el potencial de cada familia *de ser lo
que es.*

Servicio a la vida

La Iglesia está siempre al servicio de la vida. Ella ve que la
vida es un regalo del Creador, que cada vida lleva su imagen
y, por lo tanto, tiene una dignidad grande e irrevocable.
Esta dignidad no se basa en el estatus social, los talentos, la
fama o la educación, sino en el hecho único de estar hecho
a imagen y semejanza de Dios, y haber sido redimido por la
Sangre de Cristo. Por esta razón, la Iglesia busca proteger y
defender la vida desde la concepción hasta la muerte natural,
y rechaza todos y cada uno de los ataques que buscan degradar
o destruirla. *"Así el cometido fundamental de la familia es el
servicio a la vida, el realizar a lo largo de la historia la bendición
original del Creador, transmitiendo en la generación la imagen
divina de hombre a hombre".* [18]
La entrada de la anticoncepción en la escena en nuestro
mundo moderno, ha cambiado completamente la forma en
que vemos la vida. Bloquea el acto de auto-donación total
de la pareja, ve la fertilidad como una amenaza en lugar de

---

17 Íbid, 21.
18 Íbid, 28.

un regalo. Esta mentalidad se ha introducido lentamente en nuestra forma de pensar y nos ha hecho comenzar a pensar en los niños como una carga, incluso como algo de lo cual debemos "protegernos". Tratamos la fertilidad de una mujer como si fuera una enfermedad, cuando es algo que se debería de celebrar. La vida no es vista como un regalo hermoso, sino como un obstáculo.

San Juan Pablo II vio que este grave problema se extendía por todas las sociedades del mundo. Sabía que cuando el acto sexual es separado de su papel de unitivo y procreativo, se convierte en un acto de lujuria en lugar de un acto de amor. Luchó incansablemente para recordar a las parejas su responsabilidad de vivir el amor sexual de manera fructífera. De manera clara les informó de la responsabilidad que tienen y cómo no es lícito tratar a la pareja solo como un objeto del deseo. Con el uso de la píldora anticonceptiva hemos visto un aumento en los casos de adulterio y en el trato del acto sexual como puro recreo, 'cosificando' a la persona en el proceso. Al rechazar la anticoncepción en todos los casos, Juan Pablo II alentó la planificación familiar responsable a través de la difusión de la planificación familiar natural, un método desarrollado por médicos y científicos que está de acuerdo con las enseñanzas de la Iglesia. De esta manera, buscó recordar a las familias que su amor alcanza su punto máximo cuando es fructífero.

Cuando Dios bendice a la familia con hijos, los padres están llamados a usar toda su fuerza y esfuerzo para asegurarse que reciban y se formen en el amor. *"No puede olvidarse que el elemento más radical, que determina el deber educativo de los padres, es el amor paterno y materno"*.[19] Los padres tienen

---

19 Íbid, 36.

también el deber de ser los primeros educadores de sus hijos. Puede ser fácil delegar esta tarea a los maestros o, en nuestro tiempo presente, incluso a los dispositivos de la tecnología moderna, sin embargo son los padres los que juegan el papel insustituible de ser primeros educadores de sus hijos. Deben enseñarles no solo cosas que les ayudarán a sobresalir en sus estudios o carreras futuras, sino que, más importante aún, deben formarles en aquellas virtudes que les permitirán desarrollarse como adultos confiados, justos y compasivos. *"La familia es, por tanto, la primera escuela de las virtudes sociales, que todas las sociedades necesitan".*[20] Si bien esta es una gran tarea, los padres no deben temer, sino *"ponerse con gran serenidad y confianza al servicio educativo de los hijos y, al mismo tiempo, a sentirse responsables ante Dios que los llama y los envía a edificar la Iglesia en los hijos".*[21]

Como parte de su tarea de educar, los padres también deben ser los primeros predicadores del Evangelio para sus hijos. Al presentarles los caminos de la oración, la palabra de Dios y los sacramentos, *"llegan a ser plenamente padres, es decir engendradores no sólo de la vida corporal, sino también de aquella que, mediante la renovación del Espíritu, brota de la Cruz y Resurrección de Cristo".*[22]

La familia no está destinada a centrarse sólo en sí misma. Si su amor está atrapado en su interior, centrado en sí mismo, se volverá estéril. El amor que allí se desarrolla está destinado a desbordar a la comunidad circundante. Este amor está destinado a ser creativo, y *"abre el corazón para descubrir las nuevas necesidades y sufrimientos de nuestra sociedad, que infunde ánimo*

---

20 Íbid.
21 Íbid, 38.
22 Íbid, 39.

para asumirlas y darles respuesta".[23] Hay muchas necesidades en nuestra sociedad, e incluso en aquellos que nos rodean cada día. La familia puede ser una fuente de luz para estas personas en situaciones difíciles, que necesitan amor. De esta manera la familia vive también su llamado a ser fructífera. De hecho, en y a través de la familia, *"el Señor Jesús sigue teniendo 'compasión' de las multitudes"*.[24]

Participación en el desarrollo de la sociedad

La familia, al fomentar relaciones saludables en el amor, se convierte en *"la primera e insustituible escuela de sociedad"* [25] y está destinada a ser el punto de referencia de todas las demás relaciones. Por lo tanto, es la sociedad la que está principalmente al servicio de la familia, y no al revés. Cada familia tiene una responsabilidad social; de nuevo, si el amor demostrado dentro de la familia no se vive afuera de la familia, puede desaparecer fácilmente.

La familia está llamada a servir a la comunidad en general, especialmente a los más necesitados. *"De este modo la familia cristiana está llamada a ofrecer a todos el testimonio de una entrega generosa y desinteresada a los problemas sociales, mediante la 'opción preferencial' por los pobres y los marginados. Por eso la familia, avanzando en el seguimiento del Señor mediante un amor especial hacia todos los pobres, debe preocuparse especialmente de los que padecen hambre, de los indigentes, de los ancianos, los enfermos, los drogadictos o los que están sin familia"*.[26] Esto se puede hacer a

---

23 Íbid, 41.
24 Íbid.
25 Íbid, 43.
26 Íbid, 47.

través de actos sencillos, pero de gran valor. Hay que mencionar que muchas familias buenas padecen la triste situación de tener estos desamparados y drogadictos en su propia familia, lo cual es una situación muy dolorosa y difícil. Como cada situación es única, no me atrevo a darles un consejo específico excepto la oración. Les recomiendo especialmente la Coronilla de La Divina Misericordia por su familia.

Las familias tienen también la responsabilidad de servir en el ámbito político. *"Las familias deben ser las primeras en procurar que las leyes y las instituciones del Estado no sólo no ofendan, sino que sostengan y defiendan positivamente los derechos y los deberes de la familia".*[27] Al cumplir su función social, la familia puede compartir con el mundo los dones que ha recibido, especialmente el del amor profundo y las virtudes que se forman al vivir en comunión.

Participación en la vida y misión de la Iglesia

Finalmente, para cumplir su misión en el mundo, la familia está llamada a construir el Reino de Dios aquí en la tierra, compartiendo la misión de la Iglesia: la de llevar todas las almas a Dios. De hecho, la familia es descrita por San Juan Pablo II como una "Iglesia en miniatura," o como la *"Iglesia doméstica".*[28] Es como si la familia fuera una versión reducida de la Iglesia, un signo del amor de Dios en el mundo donde el amor de Dios se recibe primero y luego se da. Las familias *"no sólo «reciben» el amor de Cristo, convirtiéndose en comunidad «salvada», sino que están también llamados a «transmitir» a los hermanos el mismo amor de Cristo, haciéndose así comunidad «salvadora». De esta manera, a la vez que es fruto y signo de la fecundidad sobrenatural*

---

27 Íbid, 44.
28 Íbid, 49.

de la Iglesia, la familia cristiana se hace símbolo, testimonio y participación de la maternidad de la Iglesia".[29]

Así como la familia es la escuela original de amor y virtud, también debe ser el primer lugar desde el cual el mensaje del Evangelio surge en el mundo. Una familia que vive de esta manera, predicando principalmente por su ejemplo de amor entre sí y por todos, especialmente los vulnerables, *"se hace evangelizadora de otras muchas familias y del ambiente en que ella vive".*[30] Esto puede vivirse de un millón de maneras diferentes: tratando con respeto a todos los miembros de la familia, de donde los pequeños aprenden a tratar a sus compañeros y amiguitos con los que conviven en la escuela o en sus horas de recreación; incluso preocupándose por los menos favorecidos o que están en problemas; también su tarea evangelizadora se hace más visible, por la alegría que emanan como familia.

Para que una familia pueda vivir este llamado a la evangelización en el mundo, debe tener como fuente y centro la vida sacramental, especialmente la Eucaristía. La Eucaristía es nuestro pan cotidiano donde recibimos a Jesús mismo, y al recibirlo, recibimos todas las gracias y la ayuda necesaria para vivir la misión de la familia. La Eucaristía también une a cada miembro de la Iglesia de Cristo con Cristo mismo, por eso es el sacramento de la unidad. *"El Pan eucarístico hace de los diversos miembros de la comunidad familiar un único cuerpo".*[31]

Una familia cristiana también debe orar unida. Los padres deben enseñar a sus hijos a orar y la familia debe tener un tiempo para la oración en común. Debería haber momentos de *"acción de gracias, de imploración, de abandono confiado de la familia al*

---

29 Íbid.
30 Íbid, 52.
31 Íbid, 57.

Padre común que está en los cielos".[32] La responsabilidad de la familia es grande, y no se puede llevar a cabo sin invocar al Señor día y noche en oración incesante. El Papa Pablo VI recordó a los padres cristianos esta gran tarea: *"Madres, ¿enseñáis a vuestros niños las oraciones del cristiano? Y vosotros, padres, ¿sabéis rezar con vuestros hijos, con toda la comunidad doméstica, al menos alguna vez? Vuestro ejemplo, en la rectitud del pensamiento y de la acción, apoyado por alguna oración común vale una lección de vida, vale un acto de culto de un mérito singular; lleváis de este modo la paz al interior de los muros domésticos".*[33]

Incluso una familia en la que buscan amarse los unos a los otros y participar en la misión de la Iglesia todavía se ve afectada por muchas fuerzas externas, entre ellas los medios de comunicación. En el mundo de hoy, parece que los medios de comunicación pueden, a veces, tener tanta influencia en la familia como los padres, al formar las ideas e ideales sobre la vida y el amor. Juan Pablo nos dice de nuevo de que los medios en sí mismos no son ni buenos ni malos; son una herramienta que se puede utilizar para nuestro beneficio o para nuestro daño. Dijo: *"Es sabido que los instrumentos de comunicación social inciden a menudo profundamente... en el ánimo de cuantos los usan...Tales medios pueden ejercer un influjo benéfico en la vida y las costumbres de la familia y en la educación de los hijos, pero al mismo tiempo esconden también insidias y peligros no insignificantes".*[34]

La tecnología moderna se puede utilizar para aprender cosas increíbles de una manera rápida y atractiva, y puede ayudarnos a mantenernos en contacto con nuestra familia y

---

32 Íbid, 59.
33 Íbid, 60.
34 Íbid, 76.

seres queridos en todo el mundo. Sin embargo, también presenta diversos problemas a las familias modernas. *"El modo de vivir, especialmente en las naciones más industrializadas, lleva muy a menudo a que las familias se descarguen de sus responsabilidades educativas, encontrando en la facilidad de evasión (representada en casa especialmente por la televisión y ciertas publicaciones) el modo de tener ocupados tiempo y actividad de los niños y muchachos".*[35] Todos hemos visto, y tal vez incluso hemos sido culpables, cómo los padres que ponen un celular o un iPad en manos de sus hijos pequeños solo para mantenerlos tranquilos. Muchas familias dejan la televisión encendida todo el día como una forma de distraer a sus hijos. Por lo tanto, la tecnología moderna está llenando las mentes de nuestras familias con muchas nuevas imágenes e ideas, que pueden generar cierta confusión y desorientación. ¿Cómo se supone que los niños deben confiar en sus padres si los valores de sus padres se ven constantemente socavados por los mensajes en los medios? ¿Cómo pueden los padres relacionarse con sus hijos con toda la estimulación casi incesante y los diversos estilos de vida alternativos que se presentan constantemente a los jóvenes como una opción atractiva? Por esta razón, es necesario que los padres *"[procuren] que el uso de éstos en familia sea regulado cuidadosamente...Los padres, en cuanto receptores, deben hacerse parte activa en el uso moderado, crítico, vigilante y prudente de tales medios, calculando el influjo que ejercen sobre los hijos".*[36] Como pueden ver, parece que nuestro amado autor nos ha dado una tarea tremenda. Pero nunca es tarde. Esto es muy importante si la familia se va a proteger para poder amar plenamente y cumplir su misión. Permitir muchas influencias

---

35 Íbid.
36 Íbid.

negativas o contradictorias en el hogar se vuelve confuso para los niños y, eventualmente, afecta a toda la familia a medida que los valores comienzan a debilitarse y las líneas que antes eran claras comienzan a borrarse. Respecto a estas influencias negativas de los medios de comunicación, el Papa Pablo VI dijo: *"Toda ofensa a los valores fundamentales de la familia – se trate de erotismo o de violencia, de apología del divorcio o de actitudes antisociales por parte de los jóvenes – es una ofensa al verdadero bien del hombre".*[37] Para preservar las enseñanzas de la Iglesia y los valores necesarios en cada familia, los padres deben estar atentos a la hora de regular el tiempo y el tipo de tecnología que ingresa en el hogar. ¡Ánimo, sí se puede!

El futuro de la humanidad se fragua en la familia

San Juan Pablo II nos ofrece a la Sagrada Familia como ejemplo perfecto y una inspiración eficaz para nuestras propias familias. El Hijo de Dios mismo eligió entrar en este mundo en una familia, y una familia pobre. De hecho, esta familia humilde *"fue probada por la pobreza, la persecución y el exilio".*[38] Su ejemplo nos muestra que las cosas no tienen que ser perfectas para que una familia viva en amor y comunión. Jesús, María y José nos ayudan a comprender que poner a Dios en el centro de la familia y vivir en un amor desinteresado permite que la familia viva en paz y alegría, incluso en medio de las pruebas. Esta hermosa familia *"no dejará de ayudar a las familias cristianas, más aún, a todas las familias del mundo, para que sean fieles a sus deberes cotidianos, para que sepan soportar las ansiedades y tribulaciones de la vida, abriéndose generosamente a*

---

37 Íbid.
38 Íbid, 86.

las necesidades de los demás y cumpliendo gozosamente los planes de Dios sobre ellas".[39]

En resumen

Todos hemos nacido en una familia, sin importar si es grande o pequeña, rota o completa, divorciados o revueltos, y todos aprendimos ahí nuestras lecciones más básicas sobre el amor, ya sea bueno o malo, verdadero o falso. Si queremos aprender a amar verdaderamente en esta vida, entonces aprender a amar en la familia es una de las formas más importantes y fundamentales en que podemos hacerlo. San Juan Pablo II vio que el mundo estaba perdiendo de vista la identidad y el papel fundamental de la familia y, por lo tanto, trabajó incansablemente para recordarnos la belleza de esta institución establecida de manera divina. Tal vez hemos cometido muchos errores en nuestra propia familia. Nunca es demasiado tarde para reconciliarse y comenzar de nuevo a crecer en el amor. Tal vez estamos empezando una familia propia. Construyamos una fuerte, con el amor de Dios y el amor al prójimo en su centro. Porque, como dijo San Juan Pablo II: *"¡El futuro de la humanidad se fragua en la familia!"*[40] La familia de Santa Teresita no se formó pensando en consecuencias tan drásticas, pero el amor que intercambiaron se ha sentido en el mundo entero. Construyamos un futuro lleno de amor como Louis y Zeile lo hicieron buscando la santidad sobre todas las cosas. El fruto de su amor brotó en sus hijos y en una gran santa. Créeme que ustedes están recibiendo la misma gracia de ser santos como la familia de Louis y Zeile, Teresita y sus hermanas. El Señor lo ha dicho y su palabra no volverá vacía.

---

39 Íbid.
40 Íbid.

8

El significado nupcial del cuerpo célibe

*"El celibato terrenal ... es una señal de que el cuerpo,
cuyo fin no es la tumba, está dirigido a la glorificación. De
hecho, el celibato para el Reino de los Cielos es un testimonio
entre los hombres que anticipa la futura resurrección ... lleva,
sobre todo, la huella de la semejanza a Cristo".*

San Juan Pablo II

Como sacerdote, las personas me hacen muchas preguntas como
¿qué es lo más difícil?, ¿Cómo sabes qué camino elegir? Y no puede
faltar la pregunta ¿El ser humano fue creado para casarse verdad?
La verdad es que sí, por supuesto que las personas deben de casarse.
Pero a veces Dios nos llama a algo que se llama *"virginidad/celibato
por el reino de los cielos"*; es la frase que utiliza San Juan Pablo II.

Este llamado está basado en nuestra naturaleza y puede ser
vivido sólo por la gracia divina. Para ayudarnos a comprender
de manera más plena tanto el significado del matrimonio como
el por qué algunas personas no están llamadas a él, vamos a
echar mano de la Teología del Cuerpo de San Juan Pablo II.
En este capítulo, pues, exploraremos la Teología del Cuerpo y la
vocación a la virginidad y el celibato.

El celibato y el cuerpo

Empecemos por hablar del verdadero significado del sexo. Lo crean o no, tenemos que comenzar hablando del cuerpo y su lenguaje. En muchas de las charlas que doy sobre la Teología del Cuerpo la mayoría de las personas se sorprenden al escuchar que nuestros cuerpos tienen un lenguaje. Con ese lenguaje viene un significado. Es decir, el cómo fuimos hechos tiene un significado muy profundo. De toda la creación somos los únicos que podemos reflejar sobre cómo fuimos creados. Nuestro cuerpo es un regalo. Esto es, en esencia, lo que queremos decir cuando nos referimos al significado nupcial del cuerpo. Esto es mucho más visible en la unión marital que en la virginidad/celibato – pero por ahora no pensemos demasiado en esto.

Aclaremos algo… ¡Dios es amor! Y es a través de nuestros cuerpos que experimentamos el amor. La palabra cuerpo (en cualquiera de las formas griegas, *Soma, Sarx, Skenomma*) se repite aproximadamente 255 veces en la Biblia. Y recordemos que Jesús nos salvó a través de su cuerpo: *"Mientras estaban comiendo, tomó Jesús pan y lo bendijo, lo partió y, dándoselo a sus discípulos, dijo: «Tomad, comed, éste es mi cuerpo». Tomó luego una copa y, después de dar las gracias, se la dio diciendo: «Bebed de ella todos, porque ésta es mi sangre de la Alianza, que es derramada por muchos para perdón de los pecados"* (Mateo 26, 26-28). Esto es lo que hace al cuerpo tan importante. Cuando Dios creó el ser humano y todo cuanto existe, vio que todo cuanto había hecho era bueno, aunque fue manchado por causa del pecado. En nuestro camino hacia la santidad, nuestros cuerpos, a menudo, en lugar de ayudarnos, nos presentan más dificultades a causa de la tentación. Pero una cosa es segura, no podemos ser santos ignorando el cuerpo (aunque muchos han tratado). Dios nos hizo cuerpo y alma, somos nuestra alma y somos nuestro cuerpo. Si los separamos, todo va a salir mal. Lo que Dios nos da a través del cuerpo nos puede santificar. Esto significa que el matrimonio es bueno y es un camino para llegar a la santidad. Pero significa también que el celibato/virginidad por el Reino de los Cielos es bueno y también es un camino para llegar a la santidad.

Quizá te preguntes ¿es uno o el otro? O, ¿cómo puede no casarse y experimentar el significado nupcial del cuerpo? Estas preguntas son muy válidas, pero veamos lo que San Juan Pablo II nos dice al respecto. Y específicamente vamos a profundizar en 3 temas:

1. Un misterio profundo,
2. El secreto de la vida
3. Un versículo importante de las escrituras.

1. El misterio profundo es que, en Jesús, como leemos en Efesios 5,32, vive la plenitud del significado nupcial del cuerpo en relación con la Iglesia (así que la plenitud del significado nupcial del cuerpo está más allá de lo sexual). Este misterio profundo, es la razón por la que nuestros cuerpos hablan un idioma de amor eterno. El verdadero significado del sexo debe ser una muestra viva de nuestra salvación. Esta es la razón por la que siempre hablamos de castidad con los jóvenes. Para aquellos jóvenes hiperactivos, el sexo no es sólo el satisfacer los deseos, o para los románticos, el sexo no es sólo acerca de usted y su amante.

2. El secreto de la vida es que, cuando vivimos este amor de entrega total como lo hizo Jesús, nos convertimos en lo que realmente fuimos creados para ser. En la vida conyugal, el sexo no es solo gratificación personal o conseguir lo que uno quiere. Es aprender a amar desinteresadamente. Se trata de la santificación de su cónyuge y de sus hijos. Se trata de ir juntos en familia en el camino al cielo. El sexo es entrega, es sacrificio, es oración, y es un compromiso de amor siempre bajo los designios de Dios quien es el creador del sexo. Se trata de la salvación de todos.

3. El versículo importante de las escrituras, es cuando Jesús nos habla de que no hay matrimonio en el cielo (lo siento, románticos). Jesús dijo que el matrimonio es para este mundo, no para el otro y San Juan Pablo II dice que lo que Jesús está expresando está por encima de nuestra noción de matrimonio, celibato o virginidad. En el Evangelio de San Marcos Jesús dice: "Pues cuando resuciten de entre los muertos, ni ellos tomarán mujer ni ellas marido, sino que serán como ángeles en los cielos". (Mc 12,25) Jesús nos está hablando de una vida donde *"indica que hay una condición de vida, sin matrimonio, en la que el hombre, varón y mujer, halla a un tiempo la plenitud de la donación personal y de la intersubjetiva comunión de las personas"*.[1] ¿Y qué significa esto? La traducción sencilla es que básicamente, en el cielo, vamos a vivir al máximo, pero sin estar casados, "sin sexo" pero a la vez "totalmente realizados". Nuestros cuerpos en el cielo después del juicio final vivirán la plenitud del significado nupcial del cuerpo en el cielo - pero no casados. San Juan Pablo II no comete el mismo error que nuestra sociedad, al querer igualar el sexo con amor y considerarlo como la mayor satisfacción. San Juan Pablo II nos dice que habrá un momento en el que encontraremos la perfección de nuestra mutua entrega en la eternidad. Pero el matrimonio no es como lo conocemos en el aquí y en el ahora en la tierra, ni tampoco es el llamado a la vida consagrada tal como la conocemos, -es mucho más que eso.

Ser célibe es fructífero

Siempre debemos recordar que ser célibe es fructífero. San Juan Pablo II dice, *"los que hacen en la vida esta opción «por el reino de los cielos», no observan la continencia por el hecho de que «no conviene*

---

1   San Juan Pablo II, *El Amor Humano en el Plan Divino* (Pamplona: Fundación GRATIS DATE, 2003), 105.

casarse», o sea, no por el motivo de un supuesto valor negativo del matrimonio, sino en vista del valor particular que está vinculado con esta opción y que hay que descubrir y aceptar personalmente como vocación propia ".[2] Dice que es un consejo no un mandato. Lo que significa que es una invitación dada a algunos a un amor particular. Cuando se acepta esta invitación, el Señor la hace fructífera. No podemos ver el fruto, como podemos ver a los hijos en el matrimonio, pero está ahí. Si eres un hombre célibe por el Reino de los Cielos eres un padre espiritual, el cual es un verdadero padre (¡tal vez más real!). Si eres una mujer célibe por el Reino de Dios, eres una madre.

El significado del cuerpo se aplica a todos nosotros, es decir, que nuestros cuerpos no se hicieron solamente para nosotros mismos, sino más bien para darse como un regalo en nuestra vocación. Es el mismo don tanto para personas casadas como consagradas. Para las personas casadas vivir este regalo nupcial es en la *Iglesia Domestica siendo fieles a sus votos matrimoniales,* y para el consagrado para el Reino se vive específicamente dedicado al Reino de Dios y la salvación de las almas. El consagrado también es fructífero en su celibato. ¡No hay visión más profunda de esto cómo la de Jesús y la manera que Él nos salva en su cuerpo!

Ser consagrado para el Reino y la comunidad de la Iglesia

Sigamos hablando del significado nupcial del cuerpo célibe. Primeramente, tenemos que analizar si estos conceptos (significado nupcial del cuerpo y el celibato para el Reino de Dios) son correspondientes. San Juan Pablo II nos está ayudando a entender mejor estas cosas, pero realmente uno se pregunta

---

2   Ibíd, 106.

"¿cómo lo sabe? ¡era un hombre célibe!" Y si el matrimonio es realmente la forma más vívida de ver este regalo, ¿qué hay de los miles de sacerdotes y hermanas que no están regalando sus cuerpos de esa manera? Si el matrimonio es santo y el sexo en el matrimonio es santo, ¿por qué tenemos sacerdotes y monjas? Todas son buenísimas preguntas. Bueno, está en la Biblia y la respuesta corta es porque Jesús no se casó y expresó la plenitud del significado nupcial de su cuerpo (Mateo 19:12, Lucas 18:29-30, 1 Corintios 7:32-34). Pero eso haría que este capítulo sea demasiado corto, así que aquí está el resto de la respuesta.

¡Número uno, estamos hechos para vivir en comunidad! ¡No estamos solos! Fuimos hechos para la comunión, en Cristo y con otros. Jesucristo se da a sí mismo, esto se llama su *'kénosis'*. *Kénosis,* como hemos tratado en el capítulo 3, tiene un significado bien profundo: 'vaciamiento,' 'anonadamiento' 'despojamiento,' o 'desapego.' (cf. Filipenses 2,6-7) En el párrafo 22 de *Pastoris Dabo Vobis* (Exhortación Apostólica de San Juan Pablo II sobre la formación de los sacerdotes) leemos: *"La entrega de Cristo a la Iglesia, fruto de su amor, se caracteriza por aquella entrega originaria que es propia del esposo hacia su esposa, como tantas veces sugieren los textos sagrados"*. Jesús nos ha mostrado el camino en su total don de sí mismo. Obvio ¿verdad? La terminología utilizada para describir el pacto entre Dios y el hombre es de un pacto matrimonial. Recordemos que 1) Jesús nos salvó, ¿amén? ¡amén! y, 2) la forma en que describe esta salvación es usando palabras que reservamos para el matrimonio. Es decir, Dios nos está cantando una canción de amor, y la forma en que nos salva es al 'casarnos.' Cuando Adán vio a Eva y dijo en Génesis 2,23 que ella era hueso de su hueso y carne de su carne, ellos no solamente estaban estableciendo por primera vez el matrimonio en el mundo. También estaban sirviendo como los primeros actores en la gran obra de salvación. Es este *teo-drama* donde Jesús, siendo el protagonista, toma a la

Iglesia como su esposa como leemos en Efesios capítulo 5. Somos el cuerpo de Cristo porque Él tomó a la Iglesia como su esposa. Me voy a poner serio en este momento. Su cuerpo desnudo en la cruz fue totalmente entregado para salvarnos, y a través de la herida en su Sagrado Corazón perforado, tenemos la alegría de ser liberados. Como Eva vino del costado de Adán así también del costado de Cristo nace la Iglesia. Por el don total de sí mismo, nos hace parte de su cuerpo y nos purifica, como un novio que toma a su novia, somos el Cuerpo de Cristo. ¡Está todo en la Biblia! (Ex 6, 7, 2 Sam 7,24, Jer 7,23, Ezk 11,20, Os 1,9- 2,23,). San Juan Pablo II continúa:

> *"Jesús es el verdadero esposo, que ofrece el vino de la salvación a la Iglesia (cf. Jn 2, 11). Él, que es «Cabeza de la Iglesia, el salvador del Cuerpo» (Ef 5, 23), «amó a la Iglesia y se entregó a sí mismo por ella, para santificarla, purificándola mediante el baño del agua, en virtud de la palabra, y presentársela a sí mismo resplandeciente; sin que tenga mancha ni arruga ni cosa parecida, sino que sea santa e inmaculada» (Ef 5, 25-27)".*[3]

Jesús se entregó a la Iglesia para que pudiéramos ser santos. Piensa en la cruz por un segundo. Su completa ofrenda en la cruz fue por amor a su esposa, la Iglesia. Un poco como Adán se fue a dormir y Eva nació de su costado, así que ahora el Nuevo Adán se fue a dormir (murió) y por su sangre, ahora su esposa nace libre de su costado traspasado. Él se casó con la humanidad y nos convertimos en una sola carne con Él a través del Misterio Pascual. La Cruz es la consumación de este matrimonio, un acto completo de entrega de sí mismo sellado en sangre, porque, como dice Pablo en su carta a los

---

3   San Juan Pablo II, *Pastores Dabo Vobis*, 22.

Efesios cuando dijo que Jesús se dio a sí mismo por la Iglesia haciéndola bella y pura (Efesios 5,25-26) ¡Lo ves! ¡La Biblia habla de la salvación usando el lenguaje del matrimonio!

Recuerda lo que la Biblia dice en Génesis 2,24 al hablar de Adán cuando conoció a Eva: *"Por eso deja el hombre a su padre y a su madre y se une a su mujer, y se hacen una sola carne"*. Cristo, como hemos dicho, es el "Nuevo Adán" (Rm 5,14). Adán y Eva experimentaron una plenitud en el significado nupcial de sus cuerpos. PERO, pecaron y este pecado corre en la sangre de cada ser humano. Es a través de la entrega del cuerpo de Jesús y por su Preciosísima Sangre que somos liberados.

Así, Cristo dio su vida por la Iglesia y todavía la nutre y la cuida, porque ella es su cuerpo (Efesios 5,29). Entonces, de alguna manera podemos decir que alguien que es virgen/célibe por el Reino de los Cielos está siguiendo a Jesús y está alimentando a la Iglesia a través de su cuerpo. En *Mulieris Dignitatem* San Juan Pablo II explica:

> *"El amor esponsal comporta siempre una disponibilidad singular para volcarse sobre cuantos se hallan en el radio de su acción. En el matrimonio esta disponibilidad —aún estando abierta a todos— consiste de modo particular en el amor que los padres dan a sus hijos. En la virginidad esta disponibilidad está abierta a todos los hombres, abrazados por el amor de Cristo Esposo"*.[4]

El matrimonio es bueno y necesario, ¡claro! Pero ¿qué hay de los llamados a algo más? ¿qué hay de los llamados a la relación conyugal con Cristo como un signo escatológico del Reino?

¿Escato…qué? Escatología, es el estudio teológico de las cosas que vienen al final de los tiempos. Recuerden que en el cielo no

---

4   San Juan Pablo II, *Mulieris Dignitatem*, 21.

hay 'matrimonio' como lo vemos aquí, pero sí habrá una unión de cuerpo y alma con Cristo, lo cuál es la plenitud del significado nupcial del cuerpo. Todos son llamados a vivir plenamente el significado nupcial del cuerpo. Algunos en el matrimonio y otros son llamados a una vocación de virginidad, que tiene una verdadera fecundidad. Pero para el sacerdote es aún más, *"El sacerdote está llamado a ser la imagen viva de Jesucristo, el cónyuge de la Iglesia".*[5] El sacerdote está ordenado y, por lo tanto, configurado para Cristo, la cabeza y pastor; en otras palabras, está en una relación conyugal con respecto a su comunidad.

En resumen

En esencia, lo que estamos diciendo es que existe una conexión entre la persona que es virgen/célibe por el Reino y la entrega del cuerpo de Jesús para nuestra salvación. Este es el significado nupcial del cuerpo célibe.

Demos un repaso... San Juan Pablo II, en su Teología del Cuerpo, abre nuevos caminos en nuestra comprensión del sexo, el amor y el matrimonio. Uno de los conceptos centrales que analiza en la Teología del Cuerpo es el significado nupcial del cuerpo. Brevemente, significa que nuestro cuerpo habla un lenguaje de "super donación", es decir, tenemos un cuerpo y está destinado a ser un regalo, y nos transformamos más en nosotros mismos cuando nos entregamos y no hay una forma más obvia de vivirlo que en la unión sexual de un hombre y una mujer casados por la Iglesia. Pero el llamado de ser virgen o célibe por el Reino de los Cielos es una consagración directamente vinculada con el acto salvífico de Jesucristo y su entrega por la salvación de la Iglesia. Muchas veces nos enfocamos en lo que ofrecemos y no en

---

5   San Juan Pablo II, *Pastores Dabo Vobis*, 22.

lo que recibimos, hablamos más del sacrificio y no del beneficio. Tratamos de explicar el celibato en términos pragmáticos pero el Señor nos quiere enseñar el significado dinámico. Es a Jesús que los consagrados siguen cuando entregan su cuerpo por amor a la Iglesia. Y es cuando estamos conscientes de esta entrega que el ministerio del célibe se hace mucho más fructífero para la gloria del Señor. Porque nadie se quiere confesar con un sacerdote enojón, nadie se quiere acercar a una monja amargada, pero cuando el célibe está consciente que es una entrega total a la Iglesia y cuando conoce este dulce dolor es todo lo contrario. Su entrega agranda el amor.

Conclusión

"Proclama mi alma, la grandeza del Señor," dijo la Virgen María cuando llegó a la casa de Santa Isabel. La historia de nuestra salvación inició antes de la historia en la eterna voluntad de Dios. Antes del cielo y el sol, antes de la tierra y el mar, Dios nos quiso por nosotros mismos. Como le dijo al profeta Jeremías: "Antes de que nacieras en el vientre de tu madre te conocí". Dios creó un plan y en este "drama de salvación" tenemos nuestro papel. En un momento de la historia, un ángel fue enviado a un pueblo pequeño y una doncella dijo que sí. Esta virgen no solamente pronunció palabras, sino que pudo responder con un domino propio nunca antes ni despúes visto. Respondió con su todo. La prueba de su confianza vendría pronto al tener que hablar con José su comprometido, al huir de su casa, al perder a su hijo precioso en el Templo y sobre todo al verlo crucificado en Jerusalén. Ella dijo que sí, no por un momento, sino como una continua ofrenda de sí misma. Esto es nuestro propósito. Si nuestras almas proclaman las grandezas de nuestro Dios, entonces estamos viviendo plenamente. El amor es una de las cosas más importantes en la vida. Si no aprendemos a amar, no podremos vivir. ¿Qué tal si, en verdad, aprendemos esta lección de eterno intercambio de ternura y afecto? Si amamos como Juan Pablo II nuestras vidas cambiarán, nuestras familias dejarán de ser iguales y el mundo entero sentirá el cambio.

Espero que en estas páginas hayas podido aprender a amar un poquito más. ¡No es fácil! Pero tampoco es tan complicado. Una de las frases más conocidas de San Agustín es: *"Ama y haz lo que quieras"*. Y tiene razón, pero hoy en día (como en sus días) una buena formación en el significado del amor es esencial. Si amamos en verdad, estaremos participando en la salvación del mundo. Si hacemos lo que queramos en este amor, estaremos cumpliendo nuestro propósito. Ojalá que estas palabras te sirvan como guía en esta gran aventura.

Paz y Bien.

UN AÑO.
20 MINUTOS AL DÍA.

Descubre el poder y las maravillas de la Palabra de Dios con la Biblia en un año. Su formato simple te guía a través de los 73 libros de la Biblia en tan solo un año.

Más información en **CatholicBibleInAYear.com**

Acompaña a la Madre Santa Teresa de Calcuta

Tengo sed nos ofrece la oportunidad de pasar unos minutos cada día con la Madre Teresa y con la sed de nuestro Dios. Nos ayuda también a crecer en nuestra intimidad con Dios y descubrir que la sed de Dios es una sed de nuestra sed de Él.

Para mayor información visita Tengosed.AugustineInstitute.org
Adquiérelo en Amazon.com